O cérebro de Buda

Rick Hanson
com Richard Mendius

O cérebro de Buda

Neurociência prática

para a felicidade

Tradução de
Bianca Albert

Copyright © 2009 Rick Hanson, Ph. D., com Dr. Richard Mendius

Copyright da tradução © 2012 Alaúde Editorial Ltda.

Título original: *Buddha's Brain: the practical neurosciense of happiness, love and wisdom*

Publicado originalmente por New Harbinger Publications, 5674 Shattuck Avenue, Oakland, CA 94609.

Todos os direitos reservados. Nenhuma parte desta edição pode ser utilizada ou reproduzida – em qualquer meio ou forma, seja mecânico ou eletrônico –, nem apropriada ou estocada em sistema de banco de dados sem a expressa autorização da editora.

O texto deste livro foi fixado conforme o acordo ortográfico vigente no Brasil desde 1º de janeiro de 2009.

PREPARAÇÃO DE TEXTO:
Célia Regina Rodrigues de Lima

REVISÃO:
Andresa Medeiros e Carolina Hidalgo Castelani

CAPA:
Miriam Lerner

FOTOS DE CAPA:
Anna Jurkovska (Buda) e Vladimir (cérebro) / Istockphoto.com

1ª edição, 2012 (14 reimpressões)

Este livro é uma obra de consulta e esclarecimento. As informações aqui contidas têm o objetivo de complementar, e não substituir, os tratamentos ou cuidados médicos. Elas não devem ser usadas para tratar doenças graves ou solucionar problemas de saúde sem a prévia consulta a um médico.

Dados Internacionais de Catalogação na Publicação (CIP)
(Câmara Brasileira do Livro, SP , Brasil)

Hanson, Rick

O cérebro de Buda: Neurociência prática para a felicidade / Rick Hanson, Richard Mendius; [tradução de Bianca Albert]. 1. ed. São Paulo: Alaúde Editorial, 2012.

Título original: Buddha's brain: the practical neuroscience of happiness, love and wisdom.

ISBN 978-85-7881-119-8

1. Amor 2. Budismo e ciência 3. Felicidade 4. Neuropsicologia 5. Sabedoria I. Título.

12-06136   CDD-612.801

Índices para catálogo sistemático:
1. Neuropsicologia 612.801

2021
Alaúde Editorial Ltda.
Avenida Paulista, 1337,
conjunto 11
São Paulo, SP, 01311-200
Tel.: (11) 3146-9700
www.alaude.com.br
blog.alaude.com.br

ALTA BOOKS
GRUPO EDITORIAL

Rua Viúva Cláudio, 291 – Bairro Industrial do Jacaré
CEP: 20.970-031 – Rio de Janeiro (RJ)
Tels.: (21) 3278-8069 / 3278-8419
www.altabooks.com.br – altabooks@altabooks.com.␣
Ouvidoria: ouvidoria@altabooks.com.br

Editora afiliada à:

SUMÁRIO

Apresentação	7
Prefácio	11
Agradecimentos	13
Introdução	15
Capítulo 1: O cérebro que se transforma	19

Parte I: As origens do sofrimento

Capítulo 2: A evolução do sofrimento	37
Capítulo 3: A primeira e a segunda flecha	65

Parte II: Felicidade

Capítulo 4: Absorver o bem	83
Capítulo 5: Acalmar os ânimos	95
Capítulo 6: Grandes intenções	113
Capítulo 7: Equanimidade	125

Parte III: Amor

Capítulo 8: Dois lobos no coração	137
Capítulo 9: Compaixão e assertividade	153
Capítulo 10: Bondade sem limites	173

Parte IV: Sabedoria

Capítulo 11: Fundamentos da atenção plena	193
Capítulo 12: Concentração bem-aventurada	207
Capítulo 13: Como relaxar o eu	221
Apêndice: Neuroquímica nutricional	243
Referências bibliográficas	253

APRESENTAÇÃO

O cérebro de Buda é um convite para utilizar o centro da mente e o poder da atenção para melhorar sua vida e seu relacionamento com os outros. Combinando antigos *insights* das práticas contemplativas tradicionais do budismo com descobertas atuais na área da neurociência, os doutores Rick Hanson e Richard Mendius construíram um guia prático e instigante que o conduz por todas as etapas do despertar da mente.

Uma descoberta revolucionária na ciência revelou recentemente que o cérebro do adulto permanece aberto a transformações ao longo da vida. Embora, no passado, muitos profissionais da área tenham afirmado que a mente seria apenas a atividade do cérebro, hoje podemos ver a relação entre essas duas dimensões da vida sob uma nova perspectiva. Se considerarmos a mente como um processo personificado e relacional que regula o fluxo de energia e informação, perceberemos que realmente podemos usá-la para transformar o cérebro. A questão é como a concentração da atenção e o direcionamento intencional do fluxo de energia e informação pelos circuitos neurais são capazes de alterar diretamente a atividade e a estrutura do cérebro. O segredo é conhecer as etapas a serem seguidas usando a consciência para promover o bem-estar.

O cérebro de Buda

Sabendo que a mente é relacional e que o cérebro é o órgão social do corpo, chegamos a outro ponto de vista: os relacionamentos não são uma parte casual da vida; são, na verdade, fundamentais para determinar como a mente funciona, além de serem essenciais para a saúde do cérebro. As relações sociais que estabelecemos modelam nossas ligações neurais que formam a estrutura do cérebro. Isso significa que a maneira como nos comunicamos altera os circuitos do cérebro, ajudando especialmente a manter o equilíbrio da vida. A ciência, além disso, comprova que, quando cultivamos a compaixão e a atenção permanentes – quando deixamos o julgamento de lado e nos concentramos totalmente no aqui e agora –, usamos os circuitos sociais do cérebro para nos tornar capazes de transformar até mesmo o relacionamento com nosso eu.

Os autores entrelaçaram práticas budistas desenvolvidas por mais de 2.000 anos com novos *insights* a respeito das operações cerebrais para nos oferecer este guia e criarmos deliberadamente essas mudanças positivas. Nos dias de hoje, muitas vezes vivemos no piloto automático, sobrecarregando-nos com tarefas múltiplas, estímulos digitais, excesso de informação e compromissos que estressam o cérebro e dominam nossa vida. Fazer pausas em meio a esse caos tornou-se uma necessidade urgente que poucos de nós conseguimos satisfazer. Com *O cérebro de Buda*, somos incentivados a respirar fundo e a considerar as razões neurais pelas quais devemos desacelerar, equilibrar o cérebro e melhorar nossas relações pessoais e também com nosso eu.

Os exercícios apresentados aqui baseiam-se em práticas que mostraram cientificamente ter resultados positivos na adaptação de nosso mundo interior, tornando-nos mais concentrados, complacentes e desembaraçados. Esses passos consolidados também aumentam nossa empatia com os outros, expandindo os círculos de compaixão e cuidado no mundo interconectado em que vivemos. Ao usar a mente para mudar o cérebro por meio dessas práticas, poderemos construir

Apresentação

os circuitos de bondade e bem-estar a cada momento, uma pessoa, um relacionamento por vez. O que mais podemos querer? E que momento seria melhor do que agora?

Dr. Daniel J. Siegel

Autor de *Mindsight: The New Science of Personal Transformation* e *Mindful Brains: Reflection and Attunement in the Cultivation of Well-Being*
Instituto Mindsight e Centro de Pesquisa Mindful Awareness da UCLA

Los Angeles, Califórnia
Junho de 2009

PREFÁCIO

Em *O cérebro de Buda*, Rick Hanson e Richard Mendius apresentam com muita beleza uma introdução clara e prática aos ensinamentos essenciais de Buda. Recorrendo à linguagem contemporânea da pesquisa científica, instigam o leitor a desvelar os mistérios da mente, propondo uma interpretação atual para os ensinamentos antigos e profundos da prática de meditação. Este livro combina habilmente esses ensinamentos tradicionais com as descobertas revolucionárias da neurociência, que começa a reconhecer a habilidade humana para a atenção plena, a compaixão e o autocontrole, que são fundamentais para o treinamento contemplativo.

Ao ler este livro, você aprenderá tanto a ciência do cérebro quanto maneiras práticas para aumentar o bem-estar, desenvolver a tranquilidade e a compaixão e diminuir o sofrimento. Conhecerá ainda novas e sábias perspectivas de vida e os fundamentos biológicos para cultivar o desenvolvimento dessa experiência. Assim você entenderá melhor os processos da mente e as raízes neurológicas da felicidade, da empatia e da interdependência.

Os preceitos que fundamentam cada capítulo – as nobres verdades, as bases da atenção plena e o desenvolvimento da virtude, da bondade, do perdão e da paz interior – são diretos e imediatos, apresentados com o generoso convite de Buda à compreensão de cada um. As práticas que seguem esses ensinamentos também são claras e autênticas. As instruções são essencialmente as mesmas que você receberia em um templo de meditação.

Já vi Rick e Richard apresentarem esses preceitos, e fico admirado de ver como isso influencia positivamente o cérebro e o coração das pessoas que praticam com eles.

Mais do que nunca, o mundo precisa descobrir caminhos para cultivar o amor, a compreensão e a paz no âmbito individual e global.

Espero que estas palavras contribuam para essa iniciativa desafiadora.

Abençoados sejam,

Jack Kornfield, Ph.D.
Centro Spirit Rock
Woodacre, Califórnia
Junho de 2009

AGRADECIMENTOS

Gostaríamos de agradecer a muitas pessoas:

Nossos mestres espirituais, entre eles Christina Feldman, James Baraz, Tara Brach, Ajahn Chah, Ajahn Amaro, Ajahn Sumedho, Ajahn Brahm, Jack Kornfield, Sylvia Boorstein, Guy e Sally Armstrong, Joseph Goldstein, Kamala Masters (agradecemos especialmente pelo capítulo sobre equanimidade), Steve Armstrong, Gil Fronsdal, Phillip Moffit, Wes Nisker e Adi Da.

Nossos mestres e mentores intelectuais, entre os quais Dan Siegel, Evan Thopson, Richard Davidson, Mark Leary, Bernard Baars, Wil Cunningham, Phil Zelazo, Antoine Lutz, Alan Wallace, William Waldron, Andy Olendzki, Jerome Engel, Frank Benson e Fred Luskin; durante a preparação final deste livro, encontramos um documento escrito pelos doutores Davidson e Lutz com o título *O cérebro de Buda* e reconhecemos respeitosamente a utilização prévia do termo; reverenciamos também a memória de Francisco Varela.

Nossos apoiadores, incluindo o Centro de Meditação Spirit Rock, o Instituto Mind and Life, Peter Bauman, os membros do Grupo de Meditação San Raphael, Patrick Anderson, Terry Patten, Daniel Ellenberg, Judith Bell, Andy Dreitcer, Michael Hagerty, Julian Isaacs, Stephen Levine, Richard Miller, Deanna Clark, Programa Community Dharma Leaders e Sue Thoele.

Nossos atenciosos revisores, que fizeram sugestões muito pertinentes, como Linda Graham, Carolyn Pincus, Harold Hedelman, Steve Meyers, Gay Watson, John Casey, Cheryl Wilfong, Jeremy Lent e John Prendergast.

Nossos incríveis editores e designers da New Harbinger, entre eles Melissa Kirk, Jess Beebe, Amy Shoup e Gloria Sturzenacker.

Nosso meticuloso e generoso ilustrador, Brad Reynolds (www.integralartandstudies.com).

Nossos familiares, incluindo Jan, Forrest e Laurel Hanson; Shelly Scammell; Courtney, Taryn e Ian Mendius; William Hanson; Lynne e Jim Bramlett; Keith e Jenny Hanson; Patricia Winter Mendius, Catherine M. Graber, E. Louise Mendius e Karen M. Chooljian.

Agradecemos também às muitas outras pessoas que abriram a mente e o coração de cada um de nós.

INTRODUÇÃO

Este livro trata de como acessar o cérebro para criar mais felicidade, amor e sabedoria. Ele explora a interseção historicamente sem precedentes da psicologia, da neurologia e da prática contemplativa para responder a duas questões:

- Que condições cerebrais propiciam os estados de felicidade, amor e sabedoria?
- Como você pode usar a mente para estimular e fortalecer esses estados cerebrais positivos?

O resultado é um guia prático para seu cérebro, repleto de recursos que você pode aplicar para melhorá-lo gradualmente.

Richard é neurologista e eu, neuropsicólogo. A maioria das palavras desta obra foi escrita por mim, mas Richard foi meu grande colaborador, parceiro e mestre; estas páginas estão entremeadas de conceitos relativos ao cérebro adquiridos por ele em trinta anos de exercício da medicina. Juntos, fundamos o Instituto Wellspring para Neurociência e Saber Contemplativo, cujo site, www.wisebrain.org, apresenta muitos artigos, palestras e outros materiais sobre o assunto.

Neste livro, você aprenderá a lidar com estados mentais difíceis, como estresse, desânimo, distração, problemas de relacionamento, ansiedade, tristeza e raiva. O foco principal, no entanto, será promover bem-estar, desenvolvimento psicológico e treinamento espiritual. Há milhares de anos, pessoas dedicadas à vida contemplativa – os mestres das práticas mentais – estudam a mente. Aqui, abordaremos a tradição contemplativa que conhecemos melhor – o budismo – e a aplicaremos ao cérebro para revelar os caminhos neurais para a felicidade, o amor e a sabedoria. A constituição completa do cérebro de Buda, ou de qualquer outra pessoa, ninguém conhece. Mas temos avançado muito no que se refere a como estimular e fortalecer as bases neurais para a alegria, o carinho e estados mentais profundamente reveladores.

COMO USAR ESTE LIVRO

Não é necessário ter nenhuma experiência em neurociência, psicologia ou meditação para compreendê-lo – ele mescla informação e métodos (como um manual de utilização do cérebro acompanhado de uma caixa de ferramentas) para você descobrir o que funciona melhor no seu caso.

Pelo fato de o cérebro ser tão fascinante, apresentamos muitos dados da ciência atual sobre o assunto, incluindo inúmeras referências, para quem quiser consultar esses estudos. (Mas, para que não se torne um livro didático, simplificamos as descrições das atividades neurais para nos concentrar em suas características essenciais.) No entanto, se você estiver mais interessado em métodos práticos, não há problema em ler apenas por alto as partes científicas. Devemos deixar claro que a psicologia e a neurologia são ciências tão recentes que ainda há muito a ser descoberto. Por isso, evitamos ser abrangentes demais. Na verdade, estamos sendo oportunistas, abordando métodos com explicações científicas plausíveis sobre como despertar as redes neurais de contentamento, bondade e paz. Entre eles estão algumas meditações guiadas, cujas instruções são propositalmente livres, muitas vezes recorrendo a

Introdução

uma linguagem mais poética e evocativa do que rigorosa e específica. As meditações podem ser realizadas de diversas maneiras: você pode apenas ler e refletir a respeito; introduzir partes desses métodos em técnicas que você já pratique; discuti-las com um amigo; ou então memorizar as orientações e praticá-las sozinho. As orientações são apenas sugestões; faça pausas pelo tempo que necessitar. Não existe maneira errada de meditar – a certa é aquela que funciona melhor para você.

Mas atenção: este livro não substitui a terapia com profissionais da área nem constitui tratamento para quaisquer problemas físicos ou mentais. O que funciona para algumas pessoas nem sempre funciona para outras. Pode acontecer de um método desencadear sensações ou sentimentos inquietantes, especialmente se você já tiver sofrido algum trauma. Esteja à vontade para pular alguma técnica, abordá-la com um amigo (ou conselheiro), adaptá-la ou interrompê-la. Não se force a nada.

Por fim, saiba que você é capaz de executar pequenas coisas na mente que resultarão em grandes mudanças no cérebro e na vida. Já testemunhei tais transformações em pessoas com quem tive contato como psicólogo ou como mestre de meditação e já vivi isso com relação a meus pensamentos e sentimentos. Você é realmente capaz de dar um empurrãozinho em seu eu para uma direção melhor, todos os dias.

Ao mudar seu cérebro, você transforma sua vida.

CAPÍTULO 1

O cérebro que se transforma

"As principais atividades do cérebro fazem transformações nele mesmo."
Marvin L. Minsky

Quando a mente se transforma, o mesmo ocorre com o cérebro. Segundo o psicólogo Donald Hebb, quando os neurônios queimam juntos, ligam juntos – a atividade mental de fato cria novas estruturas neurais (Hebb 1949; LeDoux 2003). Como resultado, mesmo sentimentos e pensamentos passageiros podem deixar marcas permanentes no cérebro, assim como uma chuva de primavera deixa pequenas trilhas em uma encosta.

Motoristas de táxi de Londres, por exemplo – cujo trabalho exige memorizar inúmeras ruas tortuosas –, desenvolvem um hipocampo (região essencial para o registro de memórias visuais e espaciais) maior, uma vez que essa parte do cérebro é mais solicitada (Maguire *et al.* 2000). Conforme você se transforma numa pessoa mais feliz, a região frontal esquerda do seu cérebro se torna mais ativa (Davidson 2004).

O que passa na mente molda o cérebro. Dessa forma, *você é capaz de usar a mente para melhorar o cérebro* – o que beneficiará sua existência, bem como as pessoas com quem se relaciona.

Este livro tem o propósito de mostrar como isso é possível. Você aprenderá o que o cérebro faz quando a mente está feliz, afetuosa e sagaz. Assim como muitas maneiras de ativar esses estados cerebrais, fortalecendo-os aos poucos. Isso lhe dará a capacidade de, gradativamente, religar o próprio cérebro – de dentro para fora – para ter um bem-estar maior, relacionamentos mais felizes e paz interior.

Sobre o cérebro

- É formado de 1,4 quilo de um tecido semelhante a um tofu, que contém 1,1 trilhão de células, incluindo 100 bilhões de *neurônios*. Em média, cada neurônio admite cerca de 5.000 ligações, as chamadas *sinapses*, de outros neurônios (Linden 2007).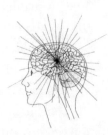
- Nessas sinapses recebidas, um neurônio obtém sinais – geralmente como uma explosão de substâncias químicas chamadas *neurotransmissores* – de outros neurônios. Os sinais dizem a um neurônio quando deve disparar ou não; isso depende principalmente da combinação de sinais que recebe a cada momento. Por sua vez, quando um neurônio dispara, envia sinais para outros neurônios por meio de suas sinapses transmissoras, mandando-os disparar ou não.
- Um neurônio típico dispara de cinco a cinquenta vezes por segundo. Enquanto você lê os itens deste quadro, quatrilhões de sinais literalmente viajam dentro de sua cabeça.
- Cada sinal neural carrega uma quantidade de informações; o sistema nervoso faz a informação circular, assim como o coração move o sangue continuamente. Essa informação toda é o que, em termos gerais, definimos como *mente*, boa parte da qual permanece fora da consciência. Em nossa aplicação do termo, a "mente" inclui os sinais que controlam as reações de estresse, a capacidade de andar

O cérebro que se transforma

de bicicleta, tendências de personalidade, esperanças e sonhos, além do significado das palavras que você está lendo neste momento.

- O cérebro é o principal modelador e modificador da mente. Ele trabalha tanto que, mesmo com apenas 2 por cento do peso corporal, usa 20-25 por cento do oxigênio e da glicose (Lammert 2008). Como um refrigerador, está sempre em atividade, executando suas funções; consequentemente, esteja em sono profundo ou extremamente compenetrado em algo, a quantidade de energia que usa é basicamente a mesma (Raichle e Gusnard 2002).

- O número de combinações possíveis de 100 bilhões de neurônios disparando ou não é de aproximadamente 10 à milionésima potência, ou 1 seguido de 1 milhão de zeros, em princípio; essa é a quantidade de possíveis estados do cérebro. Para estabelecermos um paralelo, o número de átomos no universo é estimado em "somente" cerca de 10 à octogésima potência.

- Eventos mentais conscientes baseiam-se em ligações temporárias de sinapses que tomam forma e se dispersam — geralmente em segundos (Rabinovich, Huerta e Laurent 2008). Os neurônios também formam circuitos duradouros, fortalecendo suas conexões entre si como resultado da atividade mental.

- O cérebro trabalha como um sistema completo; sendo assim, atribuir alguma função — como atenção ou emoção — a apenas uma parte dele acaba sendo uma simplificação.

- O cérebro interage com outros sistemas do corpo — que, por sua vez, interage com o mundo — e é modelado pela mente também. No sentido mais amplo, a mente é formada pelo cérebro, pelo corpo, pelo mundo natural e pela cultura humana, bem como pela mente em si (Thompson e Varela 2001). Quando nos referimos ao cérebro como a base da mente, estamos simplificando as coisas.

- A mente e o cérebro têm uma interação tão profunda que fica mais fácil compreendê-los como um sistema único e codependente.

UMA OPORTUNIDADE SEM PRECEDENTES

Assim como o microscópio revolucionou a biologia, nas últimas décadas novas ferramentas de pesquisa, como a ressonância magnética, levaram a um incrível aumento no conhecimento científico sobre a mente e o cérebro. Em consequência, hoje dispomos de mais meios de nos tornar mais felizes e competentes na vida cotidiana.

> *"Provavelmente aprendemos mais sobre o cérebro nos últimos vinte anos do que em toda a história documentada."*
> Alan Leshner

Ao mesmo tempo, há um interesse cada vez maior em relação às tradições contemplativas, as quais vêm explorando a mente – e, portanto, o cérebro – por milhares de anos, tranquilizando a mente/cérebro o suficiente para captar suas manifestações mais discretas e desenvolvendo meios sofisticados de transformá-los. Se você quer se destacar em alguma atividade, isso ajuda a estudar aqueles que já dominaram tal habilidade, como *top chefs* de programas de televisão, se você gosta de cozinhar. Assim, se o objetivo é ter mais força interior, ser mais feliz, mais sensato e tranquilo, é uma boa ideia aprender com pessoas que praticam atividades contemplativas – leigas ou monásticas –, que já se dedicaram verdadeiramente ao cultivo dessas qualidades.

Embora o termo "contemplativo" soe um tanto exótico, você provavelmente já esteve nesse estado caso tenha meditado, rezado ou simplesmente admirado as estrelas, imbuído de um sentimento de admiração. O mundo tem muitas tradições contemplativas, a maioria das quais associadas com suas religiões principais, como o cristianismo, o judaísmo, o islamismo, o hinduísmo e o budismo – este último despertou

> *"Qualquer coisa inferior a uma perspectiva contemplativa da vida é uma conduta praticamente fadada à infelicidade."*
> Padre Thomas Keating

maior interesse da ciência. Como ela, o budismo incentiva as pessoas a não crer apenas em uma coisa e também não exige que se acredite em Deus. Além disso, tem uma representação detalhada da mente que combina bem com a psicologia e a neurologia. Por esse motivo, mas com grande respeito por outras tradições contemplativas, abordaremos particularmente as perspectivas e técnicas budistas.

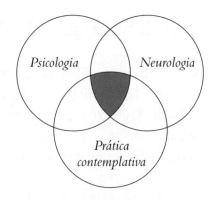

Figura 1

A interseção das três disciplinas

Pense em cada uma dessas disciplinas – psicologia, neurologia e prática contemplativa – como um círculo (figura 1). As descobertas que têm sido feitas na intersecção dessas disciplinas estão apenas começando a mostrar a que vieram, mas cientistas, médicos e praticantes de atividades contemplativas já avançaram bastante no que diz respeito aos estados cerebrais que geram estados mentais saudáveis e como os primeiros são ativados. Essas importantes descobertas nos dão a incrível capacidade de influenciar a mente para amenizar qualquer angústia ou disfunção, melhorar o bem-estar e auxiliar práticas espirituais – estas são atividades cruciais do que chamamos de *caminho para o despertar*, e nossa intenção é usar a ciência do cérebro para ajudá-lo a ir além. Não há livro capaz de lhe dar o cérebro de Buda, mas, compreendendo melhor a mente e o cérebro de pessoas que foram muito longe nesse caminho, você também será capaz de desenvolver mais alegria, atenção e capacidade de percepção.

> *"A história da ciência é rica em exemplos de como é fértil usar dois grupos de técnicas, dois grupos de ideias, desenvolvidos em contextos distintos, em prol da busca por uma nova verdade, em contato uns com os outros."*
> J. Robert Oppenheimer

O CÉREBRO QUE DESPERTA

Richard e eu acreditamos que há algo de transcendental envolvendo a mente, a consciência e o caminho do despertar – você pode chamar de Deus, Espírito Santo ou não dar nome algum. O quer que seja, está além do universo físico. Já que não pode ser provado, é importante – e coerente com os princípios da ciência – considerá-lo como uma possibilidade.

Posto dessa maneira, cada vez mais estudos mostram quanto a mente depende do cérebro. Por exemplo, à medida que o cérebro se desenvolve na infância, a mente o acompanha; se o cérebro sofre alguma lesão, a mente é prejudicada. Mudanças sutis na química cerebral causam alterações de humor, concentração e memória (Meyer e Quenzer 2004). O uso de atrativos poderosos para suprimir o sistema límbico, que processa as emoções, muda o modo como as pessoas fazem julgamentos morais (Knoch *et al.* 2006). Até mesmo algumas experiências espirituais têm correlação com atividades neurais (Vaitl *et al.* 2005).

Qualquer aspecto da mente que não seja transcendental deve contar com os processos físicos do cérebro. A atividade mental, consciente ou não, é a representação da atividade neural, assim como uma imagem do pôr do sol na tela do computador é o resultado de um padrão de cargas magnéticas em seu disco rígido. Independentemente de possíveis fatores transcendentais, o cérebro é condição necessária e proximal suficiente para a mente; é apenas *proximalmente* suficiente porque o cérebro se encontra alojado em uma rede maior de causas e condições biológicas e culturais e é afetado pela mente.

Ninguém sabe exatamente *como* o cérebro gera a mente, ou de que modo – conforme afirma Dan Siegel – a mente usa o cérebro para formar a mente. Há quem diga que as grandes questões científicas que ainda restam são: o que causou o Big Bang? Qual é a principal teoria unificada que integra a mecânica quântica e a relatividade geral? E qual é a relação entre a mente e o cérebro, especialmente no que diz respeito à experiência consciente? Esta última aparece junto com as outras por compartilhar o mesmo grau de dificuldade de resposta e importância.

Recorrendo a uma analogia, depois de Copérnico, a maioria das pessoas instruídas admitiu que a Terra girava em torno do Sol. Mas ninguém sabia de que forma isso ocorria. Cerca de 150 anos mais tarde, Isaac Newton desenvolveu as leis da gravidade, explicando em parte essa movimentação da Terra. Então, passados mais duzentos anos, Einstein aperfeiçoou a explicação de Newton pela teoria da relatividade geral. Pode levar 350 anos, ou até mais, para entendermos de fato a relação entre o cérebro e a mente. Mas, enquanto isso, uma hipótese razoável é a de que *a mente é o que o cérebro faz*.

Assim, uma mente que desperta é um cérebro que desperta. No decorrer da história, homens, mulheres e grandes mestres anônimos cultivaram estados mentais extraordinários produzidos por extraordinários estados cerebrais. Por exemplo, quando praticantes tibetanos experientes entram em meditação profunda, criam *ondas cerebrais* gama de atividade elétrica, notavelmente poderosas e penetrantes, nas quais regiões excepcionalmente grandes de estado neural real pulsam em sincronia de trinta a oitenta vezes por segundo (Lutz *et al.* 2004), integrando e unificando grandes territórios da mente. Então, com grande reverência ao transcendental, nós nos limitaremos à estrutura da ciência do Ocidente e veremos o que a neuropsicologia moderna, iluminada pela prática contemplativa, tem a oferecer no que se refere a métodos eficazes para conquistarmos maior felicidade, amor e sabedoria.

É preciso deixar bem claro: tais métodos não substituem as práticas espirituais tradicionais. Você não precisa de um eletroencefalograma ou de um doutorado em neurociência para avaliar sua experiência e o mundo e se tornar uma pessoa melhor e mais feliz. Contudo, saber como influenciar o próprio cérebro pode ser muito útil, sobretudo para aqueles que não têm tempo para práticas intensivas, como viver 24 horas por dia a vida reclusa de um mosteiro.

AS ORIGENS DO SOFRIMENTO

Embora a vida tenha muitos prazeres e alegrias, há também inúmeras preocupações e tristezas – o lastimável efeito colateral de três estratégias que evoluíram para que os animais, incluindo nós mesmos, conseguissem passar seus genes adiante. Para a sobrevivência em si, essas estratégias funcionam bem, mas causam sofrimento (o que vamos explorar a fundo nos dois próximos capítulos). Resumindo, sempre que uma estratégia encontra um problema, sinais de alarme desagradáveis – às vezes, até agonizantes – pulsam pelo sistema nervoso para manter o animal em seu caminho. Só que problemas surgem o tempo todo, já que cada estratégia tem contradições inerentes, como quando o animal tenta:

- separar o que está conectado, com o objetivo de criar uma divisa entre ele e o mundo;
- estabilizar o que está em constante transformação, para manter seus sistemas internos sob controle;
- prender-se a prazeres transitórios e escapar de sofrimentos inevitáveis para aproximar-se de oportunidades e evitar ameaças.

A maioria dos animais não tem o sistema nervoso complexo o suficiente para permitir que esses alarmes se tornem verdadeiros infortúnios. No entanto, nosso cérebro, muito mais desenvolvido, é um solo fértil para uma safra inteira de sofrimento. Somente o homem se preocupa com o futuro, arrepende-se do passado e culpa a si mesmo pelo presente. Ficamos frustrados quando não conseguimos algo que queremos e desapontados quando algo de que gostamos chega ao fim. Sofremos *aquilo* que sofremos. Ficamos aborrecidos quando sentimos dor, com raiva em relação à morte, tristes por acordarmos tristes mais um dia. Esse tipo de sofrimento – que acompanha muito de nossa infelicidade e descontentamento – é o cérebro que constrói, é ele que inventa. O que é irônico, pungente – e absolutamente esperançoso.

Afinal, se o cérebro é a causa do sofrimento, pode ser também sua cura.

O cérebro que se transforma

VIRTUDE, ATENÇÃO PLENA E SABEDORIA

Há mais de 2.000 anos, um jovem chamado Sidarta – ainda não iluminado nem conhecido como Buda – passou muitos anos treinando a mente e, portanto, o cérebro. Na noite de seu despertar, ele olhou fundo na mente (que refletiu e revelou as atividades ocultas de seu cérebro) e viu ali tanto as causas do sofrimento como o caminho para se libertar dele. Então, por quarenta anos, vagou pelo norte da Índia ensinando, a todos os que estivessem dispostos a ouvir, como:

- acalmar os impulsos da ganância e do ódio para viver com integridade;
- manter a serenidade e concentrar a mente para enxergar o que está por trás da desordem;
- desenvolver uma percepção livre.

Em poucas palavras, ele ensinava virtude, atenção plena e bom senso. Esses são os três pilares da prática budista, assim como as fontes do bem-estar diário, do desenvolvimento psicológico e da realização espiritual.

A *virtude* envolve simplesmente o controle das ações, palavras e pensamentos para gerar o bem, e não danos, a si mesmo e aos outros. No cérebro, a virtude vem de cima para baixo, a partir do *córtex pré-frontal* – sendo "pré-frontal" a parte mais à frente do cérebro, logo atrás e acima da testa, e "córtex" a camada exterior do cérebro, cuja raiz latina significa "casca". A virtude também vem de baixo para cima, da calma propiciada pelo sistema nervoso *parassimpático* (SNP) e das emoções positivas originadas pelo sistema *límbico*. No capítulo 5, você aprenderá como lidar com a rede de circuitos desses sistemas. Mais adiante, discutiremos a virtude nos relacionamentos, já que é neles que ela é mais desafiada, e então, tendo isso como base, ensinaremos como cultivar os estados cerebrais de empatia, bondade e amor (ver capítulos 8, 9 e 10).

Atenção plena é a capacidade de usar a atenção tanto para o mundo interior quanto para o exterior. Como o cérebro aprende principalmente com aquilo que fazemos, essa consciência é a chave para absorver boas experiências e fazer delas uma parte de nós (veremos isso no capítulo 4). Analisaremos maneiras de ativar os estados cerebrais que promovem a atenção plena, chegando ao ponto da profunda absorção meditativa, nos capítulos 11 e 12.

A *sabedoria* aplica-se ao bom-senso, que pode ser adquirido em duas etapas. Primeiro, você distingue o que atrapalha e o que ajuda – ou seja, as causas do sofrimento e o modo de acabar com ele (esse é o assunto principal dos capítulos 2 e 3). Depois, com base nessa compreensão, desprende-se do que é nocivo e fortalece o que lhe faz bem (capítulos 6 e 7). Assim, com o passar do tempo, você se sentirá mais ligado a tudo, mais tranquilo em relação a como as coisas mudam e chegam ao fim e mais capaz de experimentar prazer e dor sem se agarrar ao primeiro ou lutar contra o segundo. Finalmente, o capítulo 13 trata do que talvez seja o desafio mais tentador e ardiloso para a sabedoria: o sentido de ser um indivíduo que é isolado do mundo e vulnerável a ele.

Controle, aprendizado e seleção

A virtude, a atenção plena e a sabedoria são sustentadas pelas três funções fundamentais do cérebro: controle, aprendizado e seleção. O cérebro regula a si – e a outros sistemas físicos – pela combinação de atividades excitantes e inibidoras: sinal verde e sinal vermelho. Ele aprende por meio da formação de novos circuitos ou pelo fortalecimento ou enfraquecimento dos já existentes. E seleciona qualquer experiência que tenha mostrado seu valor; até mesmo uma minhoca, por exemplo, pode ser treinada a escolher um caminho específico para evitar um choque elétrico.

Essas três funções – controle, aprendizado e seleção – operam em todos os níveis do sistema nervoso, desde a intrincada dança molecular de uma sinapse até o controle, a competência e o discernimento integrados no cérebro como um todo. Todas as três funções participam de qualquer atividade mental importante.

Não obstante, cada pilar da prática corresponde a uma das três funções neurais essenciais. A virtude apoia-se fortemente no controle, tanto para estimular as tendências positivas quanto para inibir as negativas. A atenção plena leva ao aprendizado do novo – uma vez que a atenção dá forma a novos circuitos – e recorre a coisas aprendidas no passado para desenvolver uma consciência mais sólida e concentrada. A sabedoria é uma questão de fazer escolhas, como abrir mão de prazeres transitórios em prol de algo mais significativo. Portanto, desenvolver na mente a virtude, a atenção plena e a sabedoria depende de aprimorar o controle, o aprendizado e a capacidade de seleção no cérebro. Consequentemente, fortalecer as três funções neurais – o que você vai aprender nas páginas seguintes – reforça os pilares da prática.

DIRECIONAR A MENTE

Quando você parte a caminho do despertar, começa de onde quer que esteja. Então – com tempo, dedicação e recursos – a virtude, a atenção plena e a sabedoria vão gradualmente se fortalecendo e você se sente mais feliz e afetuoso. Em algumas tradições, esse processo é descrito como uma revelação da verdadeira natureza que sempre esteve presente; em outras, é considerado uma transformação da mente e do corpo. É natural que esses dois aspectos do caminho para o despertar se sustentem mutuamente.

Por um lado, sua verdadeira natureza é ao mesmo tempo um refúgio e um recurso para o trabalho muitas vezes árduo que envolve o desenvolvimento psicológico e a prática espiritual. É incrível como as pessoas que mergulharam a fundo na mente – os sábios e santos de todas as fés religiosas – dizem essencialmente a mesma coisa: sua natureza fundamental é pura, consciente, pacífica, radiante, terna e sábia, e é combinada de maneiras enigmáticas com as bases da realidade, por qualquer que seja seu nome. Embora sua natureza muitas vezes seja ocultada momentaneamente pelo estresse e pela preocupação, raiva e frustrações, ela está sempre ali. Saber disso é um grande conforto.

Por outro lado, trabalhar com a mente e o corpo para estimular o desenvolvimento do que é salutar – e a erradicação do que não é – é crucial para o desenvolvimento psicológico e espiritual. Mesmo que a prática seja uma questão de "eliminar as obscuridades" da natureza genuína – tomando emprestada uma expressão do budismo tibetano –, a clareza conquistada resulta de um processo de treinamento, purificação e transformação. Paradoxalmente, leva algum tempo para nos tornarmos aquilo que já somos.

Em qualquer caso, essas mudanças na mente, revelando a pureza intrínseca e cultivando qualidades salutares, refletem mudanças no cérebro. Ao compreender melhor como o cérebro funciona e muda – de que modo ele é tomado pela emoção ou se acalma; como se dispersa ou se concentra no aqui e agora; como faz escolhas equivocadas ou sábias –, é possível obter maior controle sobre ele e, em consequência, sobre a mente. Isso torna mais fácil e proveitoso o processo de aumento do bem-estar, da ternura e da percepção, levando-o o mais longe possível em seu caminho rumo ao despertar.

ESTAR AO SEU LADO

É um princípio moral comum que, quanto maior o poder que se tem sobre alguém, maior é a obrigação de usá-lo para o bem. Então, pense: quem é a pessoa sobre a qual você exerce maior poder? É o seu eu futuro. Você tem essa vida nas mãos, e depende de você como ela será.

O cérebro que se transforma

Uma das experiências mais importantes da minha vida ocorreu em uma noite de Ação de Graças, quando eu tinha uns 6 anos. Lembro de estar do outro lado da rua em frente à nossa casa, às margens de uma plantação de milho em Illinois, observando sulcos no solo escuro cheios de água após uma chuva recente. Nas montanhas distantes, luzinhas cintilavam. Senti grande serenidade e clareza interior, e tristeza por causa da infelicidade que pairava em minha casa naquela noite. Então, algo muito forte tomou conta de mim: dependia de *mim*, e de mais ninguém, encontrar, com o tempo, o meu caminho em direção àquelas luzinhas distantes e à possibilidade de felicidade que elas representavam.

Esse momento me marcou até hoje por ter me ensinado o que está e o que não está sob nosso controle. Não é possível mudar o passado ou o presente: tudo o que podemos fazer é aceitá-los como são. Mas você *é capaz* de zelar pelo que dará origem a um belo futuro. Isso implica atitudes sutis e modestas. Usando os exemplos que serão apresentados mais tarde neste livro, você poderá, em uma reunião tensa, inspirar fundo para forçar uma longa expiração, ativando, assim, o sistema nervoso parassimpático, que é calmante. Ou então, ao lembrar-se de uma situação desagradável, pensar na sensação de estar com alguém que o ama — o que, aos poucos, injetará uma sensação positiva nessa lembrança ruim. Ou ainda, para estabilizar o mental, prolongue deliberadamente as sensações de felicidade, pois isso fará aumentar os níveis do neurotransmissor dopamina, que o ajudará a manter a concentração.

Essas pequenas atitudes realmente fazem diferença com o passar do tempo. Diariamente, atividades comuns — assim como qualquer crescimento pessoal ou prática espiritual — trazem consigo inúmeras oportunidades para mudar o cérebro de dentro para fora. Você tem mesmo esse poder, o que é maravilhoso num mundo repleto de coisas que estão além de seu controle. Um único pingo de chuva não impressiona, mas, com pingos e tempo suficientes, é possível escavar um Grand Canyon.

Mas é preciso cooperar com você mesmo. Isso não é tão fácil no início; as pessoas, em sua maioria, tratam melhor os outros do que a si próprias. Para isso, pode ser muito útil imaginar uma situação convincente para inclinar-se às causas que mudarão seu cérebro para melhor. Pense nos fatos a seguir, por exemplo:

- Você já foi uma criança, tão merecedora de carinho como qualquer outra. Você consegue se ver como uma criança? Não desejaria o melhor para essa pessoinha? O mesmo vale para hoje: você é uma pessoa como outra qualquer, merecedora de felicidade, amor e sabedoria.
- Progredir ao longo de seu caminho para o despertar o tornará uma pessoa melhor nos relacionamentos e no trabalho. Pense como os outros se beneficiarão pelo fato de você estar bem-humorado, simpático e sagaz. Cultivar o próprio desenvolvimento não significa ser egoísta. Na verdade, é um grande presente para outras pessoas.

O MUNDO NA PONTA DE UMA ESPADA

O mais importante de tudo talvez seja a repercussão acerca de seu desenvolvimento, de maneira imperceptível, mas genuína, ajudando um mundo tomado por ganância, caos, medo e raiva. Nosso mundo está sendo equilibrado na ponta de uma espada e pode tombar para qualquer lado. Por todo o planeta, devagar, mas seguramente, vemos uma maior democratização, cada vez mais organizações independentes e uma maior compreensão de nossa frágil vida interconectada. Ainda assim, o mundo está se tornando mais quente, a tecnologia militar encontra-se mais letal e 1 bilhão de pessoas vão dormir famintas todas as noites.

A tragédia e a oportunidade deste momento na história são exatamente as mesmas: os recursos naturais e técnicos necessários para nos tirar da beira do abismo *já existem*. Não se trata de falta de recursos, mas de falta de determinação e prudência, de atenção ao que realmente está acontecendo e de egoísmo esclarecido – uma deficiência, em outras palavras, de virtude, atenção plena e sabedoria.

Quanto mais nos tornarmos hábeis com a mente – e, portanto, com o cérebro –, maior a probabilidade de o nosso mundo se direcionar para um caminho melhor.

---

capítulo 1: PONTOS-CHAVE

- O que acontece com a mente transforma o cérebro, seja de maneira temporária, seja duradoura; neurônios que queimam juntos ligam juntos. E o que ocorre no cérebro muda a mente, uma vez que ambos formam um sistema integrado.
- Portanto, você pode usar a mente para mudar o cérebro e beneficiá-la – e a todos os indivíduos ao seu redor.
- As pessoas que praticaram a fundo as tradições contemplativas são os "atletas olímpicos" da mente. Aprender como a mente e o cérebro foram treinados abre muitos caminhos para conquistar mais felicidade, amor e sabedoria.
- O cérebro evoluiu para ajudá-lo a sobreviver, mas suas três estratégicas básicas de sobrevivência também são responsáveis pelo sofrimento.
- A virtude, a atenção plena e a sabedoria são as bases do bem--estar diário, do desenvolvimento pessoal e da prática espiritual; elas estimulam as três funções neurais fundamentais: regulação, aprendizado e seleção.
- O caminho para o despertar envolve a transformação da mente/ cérebro e a revelação de nossa maravilhosa natureza que sempre esteve presente.

O cérebro de Buda

- Pequenas atitudes positivas diárias se tornam grandes mudanças com o passar do tempo, à medida que você constrói novas estruturas neurais gradualmente. Para manter-se assim, é preciso cooperar sempre com você mesmo.
- Transformações salutares no cérebro de muitas pessoas podem ajudar o mundo a seguir um rumo melhor.

Parte I

As origens do sofrimento

CAPÍTULO 2

A evolução do sofrimento

"Nada em biologia faz sentido, exceto à luz da evolução."
Theodosius Dobzhansky

A vida é cheia de coisas maravilhosas, mas de momentos difíceis também. Observe o semblante das pessoas ao seu redor – provavelmente carregam uma grande carga de tensão, desapontamento e preocupação. E você já conhece suas próprias frustrações e tristezas. As angústias da vida oscilam da leve sensação de solidão e desalento, passando por estresse, mágoa e raiva, até a perturbação e a angústia profunda. Isso tudo está contido no significado da palavra *sofrimento*. Muitos exemplos de sofrimento são moderados, mas crônicos, como um histórico de ansiedade, irritabilidade ou ausência de satisfação pessoal. É natural não querer sentir mais isso e, em seu lugar, experimentar mais contentamento, amor e paz.

Para amenizar ou solucionar um problema, é preciso compreender suas causas. É por isso que todos os grandes médicos, psicólogos e mestres espirituais fazem os melhores diagnósticos. Por exemplo, em suas Quatro Nobres Verdades, Buda identificou uma doença (sofrimento), diagnosticou a causa (desejo incontrolável em relação a alguma coisa), determinou a cura (livrar-se de tal desejo) e prescreveu um tratamento (o Caminho Óctuplo).

O cérebro de Buda

Neste capítulo, examinamos o sofrimento do ponto de vista da evolução com o propósito de diagnosticar suas fontes no cérebro. Quando você entende *por que* se sente nervoso, irritado, perturbado, compulsivo, triste, incapaz, esses sentimentos deixam de ter tanto poder sobre você. Isso, por si só, já traz certo alívio. Sua compreensão também vai ajudá-lo a fazer melhor uso das "prescrições" que apresento no restante do livro.

A evolução do cérebro

- A vida teve início há 3,5 bilhões de anos. As criaturas multicelulares surgiram por volta de 650 milhões de anos atrás. (Quando pegar um resfriado, pense que os micróbios têm uns 3 bilhões de anos de vantagem!) Na época do surgimento das primeiras águas-vivas, há 600 milhões de anos, os animais já haviam desenvolvido estruturas complexas o bastante para que seus sistemas motor e sensorial precisassem se comunicar entre si, portanto, foram os primórdios do tecido neural. Conforme os animais evoluíram, o mesmo ocorreu com o sistema nervoso, que lentamente desenvolveu um centro de comando em forma de cérebro.
- A evolução se baseia em aptidões preexistentes. A progressão da vida pode ser vista no próprio cérebro, na terminologia usada por Paul MacLean (1990) para os níveis de desenvolvimento: reptiliano (primitivo), límbico (emocional) e neocórtex (racional) (ver figura 2; todas as figuras são inexatas e meramente ilustrativas).
- Os tecidos corticais – relativamente recentes, complexos, conceitualizadores, lentos e difusos no aspecto motivacional – situam-se no topo das estruturas *subcorticais* e do *tronco cerebral* – antigas, simplistas, concretas, rápidas e intensas (a região subcortical fica no centro do cérebro, abaixo do córtex e acima do tronco cerebral – este, grosso modo, corresponde ao cérebro reptiliano mostrado na figura 2). Com o passar do dia, há uma espécie de combinação de cérebros moldando suas reações de baixo para cima.

A evolução do sofrimento

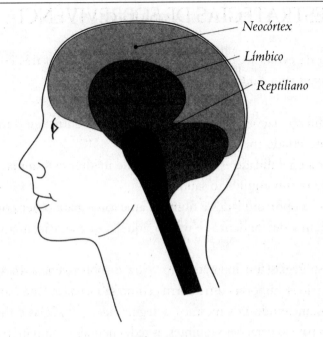

Figura 2

A evolução do cérebro

- De qualquer maneira, o córtex moderno tem grande influência sobre o restante do cérebro e vem sendo mudado por pressões evolucionárias a fim de desenvolver habilidades cada vez mais aprimoradas para prover, criar laços, comunicar, cooperar e amar (Dunbar e Shultz 2007).
- O córtex se divide em dois hemisférios, ligados pelo *corpo caloso*. Com a evolução, o hemisfério esquerdo, na maioria das pessoas, passou a ter como foco os processos sequenciais e linguísticos, enquanto o hemisfério direito assumiu os processos holísticos e visuais-espaciais. Naturalmente, os dois lados do cérebro trabalham intimamente unidos. Muitas estruturas neurais são duplicadas, havendo uma em cada hemisfério – mas, de maneira convencional, referimo-nos a elas no singular (o hipocampo, por exemplo).

TRÊS ESTRATÉGIAS DE SOBREVIVÊNCIA

Ao longo da evolução, nossos ancestrais desenvolveram três estratégias fundamentais para garantir sua sobrevivência.

- Criar diferenciações – para estabelecer limites entre si e o mundo e entre um estado mental e outro.
- Manter a estabilidade – com o intuito de manter os sistemas físico e mental em um equilíbrio saudável.
- Abrir-se a oportunidades e fugir de ameaças – para obter coisas que propiciem a descendência e resistir àquelas que ameacem a prole.

Essas estratégias funcionaram bem para a sobrevivência, mas a Mãe Natureza não se importa com a forma como são *sentidas*. Para motivarem os animais, incluindo nós mesmos, a seguir essas estratégias e transmitir seus genes para as gerações seguintes, as redes neurais evoluíram para criar dor e angústia sob certas condições: quando as diferenciações falham, a estabilidade é abalada, oportunidades são frustradas e ameaças são iminentes. Infelizmente, situações como essas acontecem o tempo todo, pois:

- tudo está conectado;
- as coisas estão em constante mutação;
- as oportunidades ou não são aproveitadas ou perdem seu encanto, e muitas ameaças são inevitáveis (como o envelhecimento e a morte).

NÃO TÃO SEPARADOS

Os *lobos* parietais estão localizados na parte posterior mais alta da cabeça. Para a maioria das pessoas, o lobo esquerdo determina que o corpo é diferente do mundo, e o direito indica onde o corpo é comparado a características de seu meio. O resultado é uma suposição automática e obscura do tipo *Sou um ser isolado e independente*. Embora isso seja verdade em algumas situações, em muitas circunstâncias importantes não é.

Não tão distintos

Para viver, o organismo precisa *metabolizar*: trocar substâncias e energia com seu ambiente. Consequentemente, ao longo de um ano, muitos dos átomos do corpo são substituídos por outros. A energia usada para beber um copo de água vem da luz solar que chega por meio da cadeia alimentar – no fim, a luz é que ergue o copo até seus lábios. O aparente muro entre seu corpo e o mundo é mais parecido com uma cerca vazada. E entre a mente e o mundo é algo como uma linha pintada na calçada. A linguagem e a cultura penetram e moldam sua mente desde o momento em que nasce (Han e Northoff 2008). A empatia e o amor sintonizam você naturalmente a outras pessoas, então sua mente e a delas entram na mesma frequência (Siegel 2007). Esses fluxos de atividade mental seguem em ambas as direções à medida que você influencia os outros.

Dentro da mente, não há nenhuma linha. Todos os conteúdos circulam uns para dentro de outros, sensações viram pensamentos, sentimentos, desejos, ações e mais sensações. Essa corrente de consciência se correlaciona com uma cascata de circuitos neurais transitórios, cada um se desfazendo e formando o próximo, geralmente em menos de um segundo (Dehaene, Sergent e Changeux 2003; Thompson e Varela 2001).

Não tão independentes

Estou aqui porque um sérvio nacionalista assassinou o arquiduque Francisco Ferdinando, desencadeando a Primeira Guerra Mundial – o que, por sua vez, levou ao improvável encontro entre meu pai e minha mãe num baile do exército em 1944. Logicamente, há um milhão de razões para que *qualquer* pessoa esteja neste mundo hoje. Até que ponto do passado conseguimos chegar? Meu filho – que nasceu com o cordão umbilical enrolado no pescoço – está entre nós graças à tecnologia desenvolvida ao longo de centenas de anos.

Ou podemos ir *bem* mais longe: a maior parte dos átomos do corpo nasceu dentro de uma estrela. No universo remoto, o hidrogênio era praticamente o único elemento. As estrelas são reatores nucleares gigantescos que agitam átomos de hidrogênio, produzindo elementos mais pesados e liberando grande quantidade de energia no processo. Aqueles átomos da explosão da estrela nova lançaram seus conteúdos para todos os lados. Com o tempo, nosso sistema solar começou a se formar, e, em cerca de 9 bilhões de anos a partir da origem do universo, havia átomos grandes em suficiente número para compor o planeta, as mãos que seguram este livro e o cérebro que compreende estas palavras. Na verdade, você só está aqui porque várias estrelas explodiram. Seu corpo é composto de poeira estelar.

Sua mente também depende de incontáveis causas anteriores. Pense nos acontecimentos da vida e nas pessoas que ajudaram a formar suas opiniões, sua personalidade, suas emoções. Imagine se tivesse sido trocado na maternidade e criado por lojistas pobres no Quênia ou por uma família abastada da área de petróleo no Texas – até que ponto sua mente seria diferente hoje?

O sofrimento da diferenciação

Como estamos todos conectados e temos uma relação de dependência mútua com o mundo, nossas tentativas de afastamento e independência são constantemente frustradas, o que produz sinais dolorosos de perturbação e ameaça. Mesmo quando nossos esforços são temporariamente bem-sucedidos, ainda causam sofrimento. Se você considera o mundo como "Não sou eu, de jeito nenhum", isso pode ser arriscado, levando você a temê-lo e a resistir a ele. Mas, se você disser "Eu sou *este* corpo separado do mundo", as fragilidades do corpo se tornarão suas. Se pensa que ele é uma carga muito grande ou que não parece bem, você sofre. Se ele é ameaçado por doença, envelhecimento ou morte – como são todos os corpos –, você sofre.

NÃO TÃO PERMANENTE

O corpo, o cérebro e a mente têm diversos sistemas que devem manter um equilíbrio saudável. O problema, no entanto, é que diversas mudanças perturbam continuamente esses sistemas, gerando sinais de ameaça, dor e angústia – ou seja, sofrimento.

Somos sistemas dinamicamente inconstantes

Vamos considerar um único neurônio, que libera o neurotransmissor serotonina (ver figuras 3 e 4). Esse minúsculo neurônio é ao mesmo tempo parte do sistema nervoso e um sistema complexo em si, que requer múltiplos subsistemas para se manter em funcionamento. Quando ele dispara, filamentos na extremidade de seu axônio liberam uma explosão de moléculas nas sinapses – as conexões – com outros neurônios. Cada dendrito contém em torno de duzentas pequenas bolhas chamadas *vesículas*, que são cheias do neurotransmissor serotonina (Robinson 2007). Sempre que o neurônio dispara, entre cinco e dez vesículas liberam seu conteúdo. Como um neurônio típico dispara cerca de dez vezes por segundo, as vesículas de serotonina de cada filamento são esvaziadas em intervalos curtíssimos.

Como consequência, atarefadas maquininhas moleculares devem produzir nova serotonina ou reciclar aquela que flutua solta ao redor do neurônio. Então, elas precisam formar vesículas, enchê-las com serotonina e deslocá-las para onde a ação ocorre, na ponta de cada filamento. São muitos os processos a ser mantidos em equilíbrio, com diversos fatores passíveis de dar errado – isso porque o metabolismo da serotonina é apenas um dos milhares de sistemas do corpo.

O neurônio comum

Os neurônios são os elementos básicos que constituem o sistema nervoso. Têm como principal função comunicar-se uns com os outros por meio de minúsculas conexões chamadas sinapses. Embora haja diversos tipos de neurônio, a estrutura básica é bastante semelhante.

- Do corpo celular saem ramificações chamadas *dendritos*, que recebem neurotransmissores de outros neurônios. (Alguns neurônios comunicam-se diretamente entre si por impulsos elétricos.)
- Simplificando um pouco, a soma milissegundo a milissegundo de todos os sinais estimulantes e inibidores que um neurônio recebe determina se ele vai disparar ou não.
- Quando um neurônio dispara, uma onda eletroquímica passa por seu *axônio*, um filamento que envia sinais a outros neurônios. Isso libera neurotransmissores em suas sinapses com neurônios receptores, inibindo ou estimulando seus disparos.
- Sinais nervosos são acelerados pela *mielina*, uma substância lipídica que envolve os axônios.

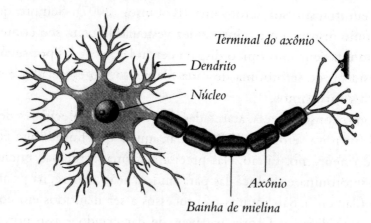

Figura 3
A estrutura simplificada de um neurônio

A evolução do sofrimento

- A massa cinzenta do cérebro é composta, na maior parte, de corpos celulares de neurônios. Existe também a massa branca, formada pelos axônios e células da *glia*; estas realizam funções metabólicas de apoio, como envolver os axônios em mielina e reutilizar neurotransmissores. Os corpos celulares neuronais são como 100 bilhões de interruptores conectados por suas "ligações" axônicas numa intrincada rede no interior da cabeça.

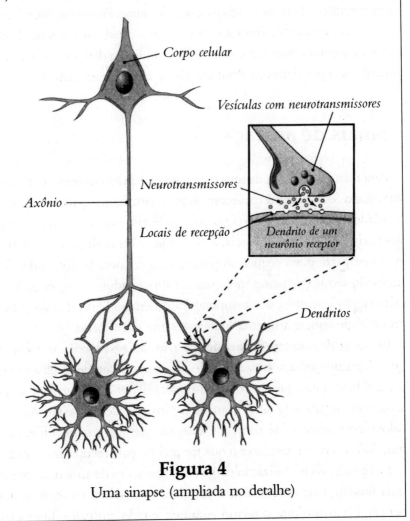

Figura 4
Uma sinapse (ampliada no detalhe)

As dificuldades de manter o equilíbrio

Para que você se mantenha saudável, cada sistema de seu corpo e de sua mente deve contrabalançar duas necessidades conflitantes. Por um lado, tem de permanecer aberto a informações externas durante operações em andamento com seu meio local (Thompson 2007); sistemas fechados são sistemas sem vida. Por outro lado, cada sistema deve preservar uma estabilidade fundamental, mantendo-se centrado e dentro de certa variação – nem um extremo, nem o outro. Por exemplo, a inibição gerada no córtex pré-frontal e o estímulo criado no sistema límbico precisam equilibrar-se entre si: se houver inibição demais, você se sentirá entorpecido por dentro, e, com excitação em excesso, ficará perturbado.

Sinais de ameaça

Para manter cada um de seus sistemas em equilíbrio, sensores registram seu estado (como um termômetro num termostato) e enviam sinais para reguladores de modo a restaurar o equilíbrio caso o sistema extrapole sua variação aceitável (ou seja, é como ligar ou desligar uma fornalha). A maior parte dessa regulação ocorre sem ser notada. Contudo, alguns sinais são tão importantes que, para ser remediados, são trazidos à consciência. Por exemplo, se a temperatura do corpo baixa demais, a pessoa "morre" de frio; se aumenta muito, se sente num forno.

Os sinais de que temos consciência não são agradáveis, em parte porque carregam consigo uma sensação de ameaça, um alerta para restaurar o equilíbrio antes que tudo saia completamente do controle. Isso pode acontecer de maneira sutil, com uma sensação de mal-estar; ou escandalosa, com abalo e até pânico. Qualquer que seja sua manifestação, ela mobiliza o cérebro para fazer o que for preciso para recuperar o equilíbrio.

Em geral, essa mobilização surge com sensações de ansiedade por algo, uma mudança de desejo controlado para uma súbita compulsão desesperada. É curioso que o termo para esse estado em páli – língua usada

A evolução do sofrimento

nos primórdios do budismo – seja *tanha*, cuja raiz significa "avidez". Tal palavra transmite o poder visceral de sinais de ameaça, mesmo quando eles não têm nada a ver com a preservação da vida, como a possibilidade de ser rejeitado. Os sinais de ameaça funcionam justamente porque são desagradáveis, pois nos fazem sofrer, algumas vezes pouco, outras, muito. Queremos que eles acabem.

Tudo está sempre mudando

Às vezes, os sinais de ameaça fazem uma pausa por um tempo – desde que todo o sistema esteja em equilíbrio. Mas, como o mundo está em constante mutação, são inúmeros os fatores capazes de desestabilizar o corpo, a mente e os relacionamentos. Os reguladores dos sistemas de sua vida, desde o aspecto molecular até o interpessoal, devem ficar tentando impor uma condição estável em processos inerentemente instáveis.

Pense na inconstância do mundo físico, da volatilidade das partículas quânticas até o nosso Sol, que, um dia, crescerá até se tornar um gigante vermelho e engolirá a Terra. Ou então pense na turbulência do sistema nervoso; por exemplo, regiões do córtex pré-frontal responsáveis pela manutenção da consciência são atualizadas de cinco a oito vezes por segundo (Cunningham e Zelazo 2007).

Essa instabilidade neurológica está por trás de todos os estados da mente. Cada pensamento envolve uma compartimentação momentânea do fluxo de células nervosas numa reunião coesa de sinapses que logo se dispersam em distúrbios férteis para a formação de outros pensamentos (Atmanspacher e Graben 2007). Observe o simples ato de inspirar e expirar uma vez e você perceberá suas sensações mudando, dispersando-se e desaparecendo tão logo surgem.

Tudo muda. Essa é a natureza universal da realidade externa e da experiência interna. Portanto, enquanto vivermos, nosso equilíbrio estará sujeito a perturbações. Mas, para ajudar-nos a sobreviver, o cérebro está sempre lutando para manter os sistemas dinâmicos em ordem, encontrar padrões estáveis neste mundo incerto e construir planos permanentes para condições mutantes. Como consequência, ele está o tempo todo perseguindo o momento que acaba de passar, tentando entendê-lo e controlá-lo.

É como se vivêssemos à beira do curso de uma queda-d'água, sendo atropelados por cada momento – vivido no *agora* e sempre no limite... E então, cadê? Passou e não está mais lá. Só que o cérebro está sempre tentando agarrar o que acabou de passar.

NÃO TÃO AGRADÁVEL OU DOLOROSO

Para sobreviver e garantir as gerações seguintes, nossos ancestrais precisavam, várias vezes ao dia, fazer escolhas acertadas sobre o que abordar e o que evitar. Hoje, o homem busca e evita estados mentais da mesma maneira que faz com objetos físicos – por exemplo, buscamos a autoestima e repelimos a vergonha. Contudo, apesar de toda a sua sofisticação, as investidas e fugas humanas contam com os mesmos circuitos neurais que um macaco usa para procurar bananas ou um lagarto para se esconder em uma rocha.

A sensação da experiência

De que maneira o cérebro decide se algo deve ser feito ou evitado? Digamos que alguém esteja caminhando em uma floresta e, de repente, aviste algo sinuoso no chão bem na sua frente. Simplificando um processo complexo, durante os primeiros décimos de segundo, a luz refletida por esse objeto é enviada ao córtex *occipital* (que lida com informações visuais) para ser processada em uma imagem que contenha um significado (ver figura 5). Então, o córtex occipital envia representações dessa imagem em duas direções: ao hipocampo, para ser avaliada como uma ameaça em potencial ou uma oportunidade, e ao córtex pré-frontal e outras partes do cérebro, para análises mais sofisticadas – e demoradas.

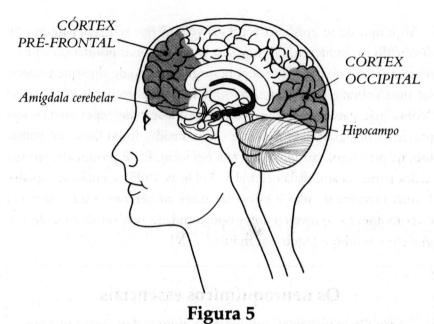

Figura 5
O momento em que percebemos uma ameaça ou uma oportunidade

Só para garantir, o hipocampo imediatamente compara a imagem à sua lista de perigos do tipo "fuja primeiro, pense depois". Rapidamente, ele encontra imagens semelhantes em sua relação de perigos, enviando um alerta máximo à *amígdala cerebelar*: "Cuidado!" Então, a amígdala – que funciona como um alarme – pulsa tanto um sinal de perigo por todo o cérebro como um sinal imediato a seus sistemas neural e hormonal de luta ou fuga (Rasia-Filho, Londero e Achaval 2000). Exploraremos com mais detalhes a reação de luta ou fuga no próximo capítulo; o importante, nesse caso, é que, um ou dois segundos após avistar a silhueta sinuosa, a pessoa recua em sobressalto.

Enquanto isso, o poderoso – mas relativamente lento – córtex pré-frontal extrai informações da memória de longo prazo para descobrir se a tal coisa é uma cobra ou um graveto. Passados mais alguns segundos, o córtex pré-frontal aponta para a natureza inerte do objeto – e para o fato de muitas pessoas à frente terem passado por ele sem dizer nada – e conclui que se trata apenas de um graveto.

Ao longo desse episódio, a pessoa passou por sensações de prazer, desagrado ou indiferença. No início, só havia coisas bonitas ou indiferentes para ver no caminho; depois, surgiu o medo de algo que poderia ser uma cobra; e, finalmente, veio o alívio ao perceber que a terrível "cobra" não passava de um graveto. Essa sensação de experiência – seja prazerosa, desagradável ou neutra – é chamada, no budismo, de *vedana* (ou, na psicologia ocidental, de *tom hedônico*). Ela é produzida, em sua maior parte, na amígdala cerebelar (LeDoux 1995), e então se espalha. É uma maneira simples e eficaz de dizer ao cérebro o que fazer em cada momento: aproveitar uma oportunidade boa ou desviar de um graveto estranho e seguir em frente.

Os neuroquímicos essenciais

Essas são as principais substâncias químicas do cérebro que afetam a atividade neural; elas têm muitas funções, mas aqui apresentamos apenas as mais relevantes para este livro.

Neurotransmissores primários

- Glutamato – excita os neurônios receptores.
- GABA (sigla em inglês para ácido gama-aminobutírico) – inibe os neurônios receptores.

Neuromoduladores

Essas substâncias – às vezes também chamadas de neurotransmissores – têm influência sobre os neurotransmissores primários. Por serem liberados amplamente dentro do cérebro, têm grande efeito.

- Serotonina – regula o humor, o sono e a digestão; muitos antidepressivos têm como finalidade melhorar seu efeito.

A evolução do sofrimento

- Dopamina – tem relação com recompensas e atenção; promove atitudes de aproximação.
- Norepinefrina – alerta e excita.
- Acetilcolina – estimula a vigília e o aprendizado.

Neuropeptídeos

Esses neuromoduladores são constituídos de *peptídeos*, um tipo específico de molécula orgânica.

- Opioides – reduzem o estresse, aliviam a dor e produzem sensação de bem-estar (como o prazer que se sente após a prática de exercícios); entre eles estão as endorfinas.
- Oxitocina – promove o comportamento de cuidado e carinho com crianças e o estreitamento de laços entre casais; associada com relacionamentos felizes e amor; as mulheres têm mais oxitocina que os homens.
- Vasopressina – mantém o vínculo com o companheiro; em homens, pode gerar agressividade contra rivais sexuais.

Outros neuroquímicos

- Cortisol – liberado pelas glândulas adrenais durante a reação de estresse, estimula a amígdala cerebelar e inibe o hipocampo.
- Estrogênio – o cérebro, tanto de mulheres como de homens, contém receptores de estrogênio; ele afeta a libido, o humor e a memória.

Querer o inalcançável

Dois grandes sistemas neurais nos mantêm na mira de nossos objetivos. O primeiro é baseado no neurotransmissor dopamina. Os neurônios responsáveis por liberá-lo se tornam mais ativos quando nos deparamos com coisas ligadas a recompensas ocorridas no passado – como quando recebemos uma mensagem de um amigo querido que não vemos há alguns meses. Tais neurônios também são estimulados quando encontramos algo que possa nos trazer recompensas no futuro – como quando alguém de quem gostamos diz que quer almoçar conosco um dia. Em nossa mente, essa atividade neural produz uma estimulante sensação de desejo: queremos senti-la de novo. Quando, enfim, sai com essa pessoa, uma parte de nosso cérebro denominada *córtex cingulado* (aproximadamente do tamanho de um dedo, na margem interior de cada hemisfério) indica se a expectativa – diversão com o amigo, boa comida – foi realmente atendida (Eisenberger e Lieberman 2004). Em caso positivo, os níveis de dopamina se mantêm estáveis. Mas, se tiver sido uma decepção – talvez o amigo estivesse de mau humor – o cingulado emite um sinal que faz baixar a dopamina. A dopamina em queda, em experiências subjetivas, pessoais, indica uma sensação desagradável, um descontentamento, que leva ao desejo incontrolável por algo que recupere seus níveis.

O segundo sistema, baseado em diversos outros neuromoduladores, é a fonte bioquímica das sensações agradáveis produzidas pelos verdadeiros e esperados incentivos da vida. Quando essas substâncias químicas "do prazer" – opioides naturais (incluindo as endorfinas), oxitocinas e norepinefrinas – se lançam às sinapses, fortalecem os circuitos neurais que estão ativos, aumentando a probabilidade de eles dispararem juntos no futuro. Imagine uma criança pequena tentando comer uma colherada de pudim. Após muitas tentativas fracassadas, seu senso perceptivo-motor finalmente acerta, gerando ondas de substâncias químicas do prazer, que ajudam a consolidar as conexões sinápticas responsáveis pelos movimentos específicos que levaram a colher em direção à boca.

Basicamente, esse sistema do prazer enfatiza o que quer que tenha desencadeado a ação, impele a pessoa a realizar o feito novamente e fortalece o comportamento que fez com que conseguisse. Ele trabalha

A evolução do sofrimento

lado a lado com o sistema baseado na dopamina. Por exemplo, matar a sede dá uma sensação agradável porque a inquietação da baixa dopamina se desfaz e é substituída pelo bem-estar químico proporcionado pela água fresca num dia de calor.

Agir traz sofrimento

Esses dois sistemas neurais são necessários para a sobrevivência. Além disso, podem ser usados para propósitos positivos que não estejam relacionados à transmissão genética. É possível, por exemplo, aumentar a motivação para continuar a fazer algo saudável (como atividades físicas), estando realmente consciente de suas recompensas, como as sensações de vitalidade e vigor.

Conquistar o que é prazeroso, no entanto, também nos faz sofrer.

- O desejo em si pode ser uma experiência não muito agradável; mesmo o desejo moderado é inquietante.
- Quando não se pode ter o que se quer, é natural sentir-se frustrado, decepcionado e desestimulado – até mesmo sem esperança e desanimado.
- Ao finalmente realizar um desejo, a recompensa que se segue geralmente não é tão incrível. É legal, mas analise bem sua experiência: o biscoito era mesmo tão gostoso – mesmo após a terceira mordida? A satisfação de ter sido bem avaliado no trabalho foi tão intensa ou duradoura?
- Quando as recompensas são de fato magníficas, muitas têm um preço alto a pagar – sobremesas deliciosas são um bom exemplo. Considere também a sensação de conquistar reconhecimento, vencer um debate ou persuadir os outros a agir de determinada maneira. Qual é a relação custo-benefício, *de verdade*?
- Mesmo quando se consegue o que quer, a sensação é realmente incrível e não há consequências ruins, toda experiência prazerosa ine-

vitavelmente muda ou acaba. Até as melhores de todas. Diariamente, você é separado das coisas de que gosta. E, algum dia, tal separação será definitiva. Amigos se distanciam, filhos saem de casa, carreiras chegam ao fim, bem como, um dia, sua própria vida. Tudo o que tem um início tem um fim. O que hoje está próximo amanhã se separará. As experiências, portanto, não são capazes de nos satisfazer completamente. São uma base incerta para a verdadeira felicidade.

Usando uma analogia do mestre de meditação tailandês Ajahn Chah, aborrecer-se por um fato desagradável é como ser mordido por uma cobra; tentar agarrar-se ao que é agradável é como pegar a cobra pela cauda: mais cedo ou mais tarde, ela vai morder.

Obstáculos são mais fortes que estímulos

Até agora, falamos sobre gravetos no caminho e recompensas como se tivessem o mesmo valor. Na verdade, os gravetos (obstáculos) em geral têm mais valor, pois o cérebro é construído mais para recuar do que para ir em frente. Isso porque são as experiências negativas, e não as positivas, que normalmente têm mais impacto na sobrevivência.

Imagine nossos ancestrais mamíferos fugindo dos dinossauros em um Jurassic Park mundial, 70 milhões de anos atrás. O tempo todo em estado de alerta, atentos ao menor estalido de um galho, prontos para parar, fugir ou atacar, dependendo da situação. Quando perdiam uma oportunidade – de caça ou acasalamento, talvez –, ainda tinham outras chances depois. Mas, se não conseguissem escapar de um obstáculo – como um predador –, provavelmente eram mortos, sem nenhuma esperança de oportunidades no futuro. Aqueles que sobreviveram e deram origem a outras gerações davam *muita* importância às experiências negativas.

Vamos, agora, analisar seis maneiras pelas quais o cérebro nos desvia dos obstáculos.

A evolução do sofrimento

VIGILÂNCIA E ANSIEDADE

Quando estamos acordados e sem fazer nada específico, o estado inicial de descanso do cérebro ativa uma "rede-padrão", e uma de suas funções parece ser rastrear o corpo e o ambiente para identificar possíveis ameaças (Raichle *et al.* 2001). Esse estado consciente básico costuma ser acompanhado de uma sensação de ansiedade em segundo plano, que nos mantém vigilantes. Experimente andar por uma loja durante alguns minutos sem o menor cuidado, preocupação ou tensão. É muito difícil.

Isso acontece porque nossos ancestrais mamíferos, primatas e humanos eram tanto presas quanto predadores. Além disso, a maior parte dos grupos sociais primatas era agressiva, machos e fêmeas na mesma intensidade (Sapolsky 2006). E entre os hominídeos, e depois os grupos humanos de caçadores e coletores dos últimos 2 milhões de anos, a violência tem sido a maior causa de morte entre homens (Bowles 2006). Não é à toa que somos ansiosos: sempre houve muito a temer.

SENSIBILIDADE A INFORMAÇÕES NEGATIVAS

O cérebro, caracteristicamente, detecta as mensagens negativas de maneira mais rápida do que as positivas. Pense nas expressões faciais, um sinal imediato de ameaça ou oportunidade para um animal social como o homem: expressões de pavor são notadas muito mais rápido do que de felicidade ou indiferença, provavelmente pela amígdala cerebelar (Yang, Zald e Blake 2007). Na verdade, mesmo quando os pesquisadores fazem uma cara de medo imperceptível pela consciência, a amígdala ainda dá o sinal (Jiang e He 2006). O cérebro é *atraído* por más notícias.

ARMAZENAMENTO PRIORITÁRIO

Quando um acontecimento é considerado negativo, o hipocampo garante que seja armazenado cuidadosamente para ser usado como referência no futuro. Gato escaldado tem medo de água fria. O cérebro é como velcro para experiências ruins e como teflon para as boas – mesmo que a maior parte das experiências seja neutra ou positiva.

O NEGATIVO SUPERA O POSITIVO

Os eventos ruins em geral têm impacto maior do que os bons. É muito fácil adquirir o sentimento de impotência por causa de alguns fracassos, mas livrar-se dele é outra história, mesmo tendo muitas experiências bem-sucedidas depois (Seligman 2006). As pessoas se esforçam mais para evitar uma perda do que para obter um ganho equivalente (Baumeister *et al.* 2001). Em comparação com ganhadores da loteria, vítimas de acidentes costumam demorar mais tempo para voltar ao estado original de felicidade (Brickman, Coates e Janoff-Bulman 1978). O que se diz de ruim sobre uma pessoa tem mais peso do que o que se diz de bom a respeito dela (Peeters e Czapinski 1990), e, nos relacionamentos, são necessárias cerca de cinco interações positivas para compensar os efeitos de uma única negativa (Gottman 1995).

MARCAS PERMANENTES

Mesmo que tenhamos esquecido uma má experiência, ela deixa uma marca indelével no cérebro (Quirk, Repa e LeDoux 1995). Esse resquício permanece ali, latente, pronto para ser reativado caso ocorra uma situação amedrontadora semelhante.

CÍRCULOS VICIOSOS

As experiências ruins criam círculos viciosos, tornando a pessoa pessimista, reativa e inclinada a se ver de maneira negativa.

Evitar nos faz sofrer

Como se pode ver, o cérebro já vem com uma "propensão ao negativismo" integrada (Vaish, Grossman e Woodward 2008) que o prepara para o escape. Essa propensão gera inúmeras formas de sofrimento. Em primeiro lugar, provoca uma desagradável sensação de ansiedade, que, para algumas pessoas, pode ser bem intensa. A ansiedade também torna mais difícil interiorizar a atenção para o autoconhecimento ou a prática contemplativa, uma vez que o cérebro se mantém em processo de análise para garantir que não haja nenhum problema. As tendências negativas alimentam ou intensificam outras emoções desagradáveis, como raiva, tristeza, depressão, culpa e vergonha. Enfatizam falhas e perdas passadas, subestimam habilidades atuais e exacerbam futuros obstáculos. Assim, a mente tende a fazer julgamentos injustos a respeito do caráter, da conduta ou das capacidades de uma pessoa. A carga de julgamentos desse tipo pode nos deixar esgotados.

NO SIMULADOR

No budismo, o sofrimento é considerado o resultado do anseio expresso por meio dos Três Venenos: ganância, ódio e ilusão. São tão fortes que abrangem uma gama de pensamentos, palavras e proezas, mesmo os mais fugazes e sutis. A ganância é uma necessidade extrema de agarrar as oportunidades; o ódio, a aversão a obstáculos – ambos envolvem o desejo compulsivo por mais prazer e menos sofrimento. A ilusão é um apego à ignorância a respeito de como as coisas são de fato – um exemplo disso é não enxergar o fato de que elas são interligadas e mutáveis.

Realidade virtual

Às vezes, esses venenos são evidentes, mas, na maior parte do tempo, ocorrem em segundo plano, sem percebermos, disparando e se comunicando silenciosamente. Eles fazem isso usando a extraordinária capacidade do cérebro de *representar* tanto a vivência interior como o mundo lá fora. Por exemplo, os pontos cegos à esquerda e à direita no campo visual não têm forma de buraco no mundo exterior; na verdade, o cérebro os preenche, assim como um programa de edição de imagens corrige a vermelhidão nos olhos de pessoas que olharam para o *flash*. O fato é que muito do que você vê "lá fora" é criado pelo cérebro, como os efeitos de computação gráfica em um filme. Apenas uma pequena fração do que entra pelo lobo occipital vem diretamente do mundo exterior; o resto vem do suprimento interno de memória e dos módulos perceptivos de processamento (Raichle 2006). O cérebro *simula* o mundo – cada um de nós vive uma realidade virtual próxima o suficiente da realidade para não nos chocarmos com o que estiver pela frente.

Dentro desse simulador – cujo substrato neural parece estar situado na parte superior central do córtex pré-frontal (Gusnard *et al.* 2001) –, filminhos vão passando sem parar. Estes são os elementos básicos de grande parte da atividade mental consciente (Niedenthal 2007; Pitcher *et al.* 2008). Para nossos antepassados, simulações contínuas de acontecimentos passados possibilitavam sua sobrevivência, pois fortaleciam o aprendizado de comportamentos bem-sucedidos pela repetição de seus padrões de disparo neural. Simular eventos futuros também favorecia a sobrevivência de nossos ancestrais, dando-lhes capacidade para comparar possíveis resultados – a fim de decidir pela melhor abordagem – e para preparar de antemão sequências sensório-motoras potenciais para ação imediata. Ao longo dos últimos 3 milhões de anos,

A evolução do sofrimento

o cérebro triplicou de tamanho; muito dessa expansão aprimorou as aptidões do simulador, gerando mais benefícios para a sobrevivência.

Simulações causam sofrimento

O cérebro ainda cria simulações hoje em dia, mesmo quando elas não têm nada a ver com a questão da sobrevivência. Tente observar-se quando sonhar acordado ou repassar na cabeça um problema de relacionamento: você verá os filminhos passando, pequenos pacotes de experiências simuladas, em geral com apenas alguns segundos de duração. Se avaliar bem a situação, descobrirá várias coisinhas erradas:

- Por sua própria natureza, o simulador tira a pessoa do momento presente. Ali está alguém, assistindo a uma apresentação no trabalho, executando um serviço ou meditando, e, de repente, a mente está a milhares de quilômetros de distância, presa em um filminho. Mas é apenas no momento presente que encontramos a verdadeira felicidade, amor ou sabedoria.
- No simulador, as coisas boas parecem extraordinárias, esteja você pensando em repetir um pedaço de bolo ou imaginando a reação que um relatório no trabalho causará. Mas o que você *realmente* sente quando interpreta o filminho na vida real? É tão legal quanto parecia ser na sua mente? Normalmente não é. Na verdade, as recompensas do cotidiano não são tão intensas quanto as que criamos no simulador.
- Os filminhos no simulador são cheios de crenças: *É claro que ele vai dizer isso se eu falar aquilo... É óbvio que vão me passar para trás.* Às vezes, essas coisas são verbalizadas claramente, mas, na maior parte do tempo, são implícitas, integradas ao enredo da história. Então, as crenças explícitas e implícitas em suas simulações são *verdadeiras*? Pode ser que sim, mas geralmente não. Os filminhos nos deixam paralisados por sua visão simplista do passado e por definirem reais possibilidades para o futuro, como novas maneiras de se aproximar das pessoas

ou sonhar alto. Crenças são as grades de uma cela invisível, que o prendem a uma vida que é menor do que a que se poderia ter verdadeiramente. A sensação é semelhante à de um animal do zoológico que é liberado em um grande parque, mas ainda está confinado nos limites de sua velha gaiola.

- No simulador, eventos perturbadores do passado são revividos o tempo todo, o que, infelizmente, torna mais fortes as associações neurais entre um fato e os sentimentos dolorosos que ele suscita. O simulador também prevê situações ameaçadoras no futuro. Mas, no fim, a maioria desses acontecimentos inquietantes nunca se materializa. E, entre os que realmente ocorrem, muitas vezes a aflição experimentada é mais leve e breve do que se esperava. Imagine-se declarando seus sentimentos a alguém: isso pode desencadear um filminho que termina em rejeição e decepção. Contudo, quando nos abrimos com uma pessoa, não é verdade que acabamos nos sentindo muito melhor?

Resumindo, o simulador nos tira do momento presente e nos leva a desejar coisas que nem são tão agradáveis assim, enquanto ignoramos recompensas mais significativas, como satisfação e paz interior. Esses filminhos mentais que criamos são cheios de convicções limitantes. Além de reforçarem emoções dolorosas, fazem com que nos desviemos de obstáculos que muitas vezes nem encontraremos no caminho ou que não são tão ruins como imaginamos. E o simulador faz isso o tempo todo, dia após dia, até mesmo nos sonhos – construindo gradualmente a estrutura neural, boa parte da qual contribui para o sofrimento.

AUTOCOMPAIXÃO

Todo mundo tem seus momentos de sofrimento, e muitas pessoas sofrem bastante. A compaixão é uma reação natural ao sofrimento, inclusive o próprio. Autocompaixão não é autopiedade, mas ternura, interesse

A evolução do sofrimento

e desejo de melhora – assim como a compaixão por outra pessoa. Por ter uma carga emocional maior do que a autoestima, tem mais poder de reduzir o impacto de situações difíceis, preservando o amor-próprio e construindo resiliência (Leary *et al.* 2007). Esse sentimento também é libertador; afinal, quando alguém se fecha no próprio sofrimento, é difícil ser receptivo ao sofrimento alheio.

Além do sofrimento da vida cotidiana, o caminho do despertar tem experiências difíceis que também pedem compaixão. Para ser mais feliz, sábio e amoroso, às vezes é necessário lutar contra tendências antigas no próprio sistema nervoso.

> *"A base da compaixão é a compaixão por si mesmo."*
> Pema Chödrön

Por exemplo, sob alguns pontos de vista, os três pilares da prática não são naturais: a virtude preserva reações emocionais que funcionaram bem nas planícies africanas do Serengueti, a atenção plena reduz a vigilância exterior, e a sabedoria transpõe crenças que uma vez já foram úteis para nossa sobrevivência. Isso vai contra o padrão evolucionário para anular as causas do sofrimento, sentir-se uno com todas as coisas, seguir o fluxo do momento em transformação e manter-se tranquilo diante tanto do bom como do ruim. Naturalmente, isso não quer dizer que não devemos fazê-lo! Significa apenas que devemos entender contra o que estamos lutando e ter alguma compaixão por nós mesmos.

Para estimular a autocompaixão e fortalecer os circuitos neurais:

- lembre-se de como é estar com alguém que realmente gosta de você – a sensação de receber carinho ativa o sistema responsável pelo afeto no cérebro, munindo-o de compaixão;
- pense em alguém por quem você naturalmente sinta compaixão, como uma criança ou pessoa por quem tenha afeto – esse fluxo tranquilo de compaixão desperta suas bases neurais (entre elas a oxitocina, a *ínsula* [que percebe o estado interno do corpo] e o córtex pré-frontal), preparando-as para a autocompaixão;

- estenda essa mesma compaixão a você – esteja consciente do seu sofrimento e direcione a si mesmo a atenção e o desejo de melhora; sinta a compaixão infiltrar-se em lugares nunca antes acessados em seu íntimo, como uma chuva suave que tudo toca. As atitudes relacionadas a um sentimento o fortalecem (Niedenthal 2007); então, pouse a palma da mão na face ou no coração com a ternura e o carinho que você daria a uma criança carente. Interiormente, diga frases como *Que eu seja feliz novamente, Que a dor deste momento desapareça;*
- em especial, abra-se à sensação de que está recebendo compaixão – no cérebro, lá no fundo, a verdadeira fonte dos bons sentimentos não tem muita importância; independentemente de a compaixão vir de você ou de outra pessoa, deixe-se envolver pela sensação de estar sendo confortado e cuidado.

---

capítulo 2: PONTOS-CHAVE

- Três estratégias fundamentais evoluíram para nos ajudar a passar nossos genes adiante: criar diferenciações, estabilizar sistemas e aproximar-se de oportunidades, ao mesmo tempo em que se evita ameaças.
- Embora essas estratégias funcionem para a sobrevivência, elas também nos fazem sofrer.
- O esforço para manter diferenciações não condiz com as inúmeras formas pelas quais alguém se conecta com o mundo e dele depende. Como resultado, a pessoa se sente levemente isolada, alienada, oprimida ou como se estivesse em uma batalha contra o mundo.
- Quando os sistemas no corpo, na mente e nos relacionamentos se tornam instáveis, o cérebro produz inquietantes sinais de ameaça. Como tudo muda o tempo todo, esses sinais estão sempre se manifestando.

A evolução do sofrimento

- O cérebro dá às experiências uma sensação (*vedana*) prazerosa, desagradável ou neutra, para que a pessoa busque o que lhe dá prazer, evite o que não é agradável e siga indiferentemente em relação ao que é neutro.
- Particularmente, evoluímos para dar maior atenção às experiências ruins. Essa tendência negativa ignora o que é bom, realça o que é ruim e gera ansiedade e pessimismo.
- O cérebro tem uma incrível capacidade de simular experiências, mas isso tem um preço: o simulador tira a pessoa do momento presente e ainda a leva a desejar coisas que não são tão prazerosas quanto parecem e a repelir sofrimentos que não são tão grandes ou nem mesmo existem.
- A autocompaixão ajuda a amenizar o sofrimento.

CAPÍTULO 3

A primeira e a segunda flecha

*"No fim das contas, a felicidade se limita à escolha entre o
incômodo de se tornar consciente das aflições mentais e o
desconforto de ser guiado por elas."*
Yongei Mingyur Rinpoche

Passar por algum desconforto físico é inevitável; é um sinal crucial para
tomar uma atitude de preservação da vida, como a dor que nos faz tirar
subitamente a mão de um forno quente. Por exemplo, à medida que
evoluímos, o investimento afetivo cada vez maior em crianças e outros
membros do grupo motivou nossos ancestrais a manter vivos os porta-
dores de seus genes; é compreensível, então, que fiquemos angustiados
quando entes queridos são ameaçados, e tristes quando são prejudicados. Também evoluímos para nos importar com nosso lugar no grupo
e no coração dos outros, por isso é normal ficarmos magoados quando
somos rejeitados ou desprezados.

Tomando emprestada uma expressão de Buda, tormentos físicos ou
mentais inevitáveis constituem a "primeira flecha" da existência. Enquanto você viver e amar, haverá flechas atravessando seu caminho.

AS FLECHAS QUE LANÇAMOS CONTRA NÓS MESMOS

A primeira flecha, sem dúvida, é desagradável. Mas então somamos nossas *reações* a ela. Essas reações são "flechas secundárias" – aquelas que atiramos em nós mesmos. São elas as responsáveis pela maior parte do nosso sofrimento.

Imagine que está entrando em um quarto escuro e dá uma topada com o dedo do pé em uma cadeira; logo após a primeira flecha de dor, vem a segunda... de raiva: "Quem deixou essa maldita cadeira no meio do caminho?!" Ou, então, se a pessoa amada trata o outro com indiferença quando este espera um pouco de atenção, além da sensação natural desagradável na boca do estômago (primeira flecha), ele se sente desprezado (segunda flecha) por ter sido ignorado.

A segunda flecha geralmente desencadeia outras flechas secundárias por meio de redes neurais associativas: talvez a pessoa se sinta culpada por ter raiva do fato de alguém ter tirado a cadeira do lugar ou sentir tristeza por ter sido magoado mais uma vez por uma pessoa de quem goste. Nos relacionamentos, a flecha secundária cria círculos viciosos: suas reações levam a reações de outra pessoa, que, por sua vez, fazem você disparar outras flechas secundárias, e assim por diante.

Por incrível que pareça, muitas dessas reações ocorrem quando, na verdade, nem foi lançada a primeira flecha – quando não há nenhum sofrimento inerente à situação a que estamos reagindo. Nós *adicionamos* sofrimento a elas. Às vezes, por exemplo, chega-se em casa, depois do trabalho, e encontra-se aquela bagunça, com as coisas das crianças espalhadas por toda parte. Essa é a situação. Mas existe uma primeira flecha *nos* casacos e tênis das crianças em cima do sofá ou nos brinquedos espalhados pelo chão? Não. Ninguém acertou o outro com um tijolo e nenhum filho foi machucado. É realmente necessário ficar bravo? Na verdade, não. É possível ignorar a desor-

A primeira e a segunda flecha

dem, ou recolher as coisas calmamente, ou conversar com os filhos a respeito. Muitas vezes, é isso que eu faço. Do contrário, as flechas secundárias começam a cair, carregadas com os Três Venenos: a ganância me torna inflexível em relação ao modo como eu quero que as coisas sejam, o ódio me deixa aborrecido e bravo, e a ilusão me leva a encarar as situações pelo lado pessoal.

O pior de tudo é que algumas dessas flechas secundárias são reações contra coisas *positivas*. Se alguém recebe um elogio, trata-se de uma situação positiva. Mas então, com certo nervosismo e acanhamento, começa a pensar: *Nossa, nem sou tão bom assim. Depois vão acabar descobrindo que sou uma farsa.* E aí tem início a aflição desnecessária pela segunda flecha.

COMO ACONTECE

O sofrimento não é abstrato ou conceitual. É *corporificado*: é sentido no corpo e age por meio de mecanismos corporais. Compreender o mecanismo físico do sofrimento ajuda a vê-lo cada vez mais como algo impessoal – desagradável, sim, mas não a ponto de ser aborrecimento e fonte de mais flechas secundárias.

O sofrimento desencadeia processos por todo o corpo pelo sistema nervoso simpático (SNS) e pelo *eixo hipotálamo-pituitária-adrenal* (HPA) do sistema endócrino (hormonal). Bom, vamos organizar essa sopa de letrinhas para entender como funciona. Ao mesmo tempo em que o SNS e o HPA são anatomicamente distintos, eles se entrelaçam de tal forma que é mais fácil descrevê-los juntos, como um sistema integrado. E vamos nos concentrar mais nas reações dominadas pela aversão a obstáculos (isto é, medo, raiva) do que nas de conquista, uma vez que as situações repulsivas geralmente têm maior impacto em razão da tendência à negatividade do cérebro.

Alarmes disparam

Algo acontece – uma fechada no trânsito, um comentário maldoso de um colega de trabalho ou um pensamento perturbador passando pela cabeça. As condições sociais e emocionais podem ter um impacto tão grande quanto as físicas, pois a dor psicológica usa as mesmas redes neurais que a dor física (Eisenberger e Lieberman 2004); é por isso que a rejeição pode doer tanto quanto um tratamento de canal. O simples ato de imaginar um evento desafiador – uma palestra que se tenha de fazer na semana seguinte – pode ser tão impactante quanto participar do evento em si. Qualquer que seja a fonte da ameaça, a amígdala cerebelar soa o alarme, desencadeando diversas reações:

- O *tálamo* – a estação retransmissora no meio da cabeça – envia um "acorda!" ao tronco cerebral, que, por sua vez, libera a estimulante norepinefrina por todo o cérebro.
- O sns envia sinais aos principais órgãos e grupos musculares do corpo, preparando-os para lutar ou fugir.
- O hipotálamo – o principal regulador do sistema endócrino no cérebro – alerta a glândula pituitária para sinalizar as glândulas adrenais a fim de liberar os "hormônios do estresse", *epinefrina (adrenalina)* e *cortisol*.

Pronto para a ação

Dentro de um ou dois segundos após o alarme inicial, o cérebro está em alerta vermelho, o sns está aceso como uma árvore de Natal e os hormônios são despejados no sangue. Ou seja, trata-se de alguém que está, para dizer o mínimo, um pouco chateado. O que está acontecendo em seu corpo?

A epinefrina aumenta o batimento cardíaco (para o coração movimentar mais sangue) e dilata as pupilas (para que os olhos recebam

A primeira e a segunda flecha

mais luz). A norepinefrina desvia o fluxo sanguíneo para os grandes grupos musculares. Enquanto isso, os bronquíolos dos pulmões dilatam para uma maior troca gasosa, tornando-o capaz de bater mais forte ou correr mais rápido.

O cortisol paralisa o sistema imunológico para reduzir as inflamações por ferimentos. Também acelera as reações de estresse de duas formas circulares: primeiro, faz o tronco cerebral estimular mais a amígdala cerebelar, que por sua vez estimula a ativação do sistema SNS/HPA – o que produz mais cortisol. Segundo, o cortisol inibe a atividade hipocampal, que normalmente suprime a amígdala cerebelar, tirando os freios da amígdala e aumentando ainda mais o cortisol.

A reprodução é deixada de lado – não há tempo para sexo enquanto você busca proteção. O mesmo ocorre com a digestão: a salivação diminui e os movimentos peristálticos desaceleram-se, resultando em boca seca e prisão de ventre.

As emoções são exacerbadas, organizando e mobilizando todo o cérebro para a ação. A excitação do SNS/HPA estimula a amígdala cerebelar, a qual é conectada para se concentrar nas informações negativas e reagir a elas de maneira intensa. Consequentemente, a sensação de estresse prepara a pessoa para o medo e a raiva.

Conforme a ativação límbica e endócrina aumenta, a relativa força do controle executivo do córtex pré-frontal diminui. É como estar em um carro com o acelerador descontrolado: o motorista tem menos controle sobre o automóvel. Além disso, o córtex pré-frontal também é influenciado pela excitação do SNS/HPA, que instiga avaliações, atribuições de intenções alheias e prioridades em um sentido negativo – agora o motorista do carro desgovernado acha que todos são idiotas. Por exemplo, pense na maneira como encaramos uma situação quando estamos aborrecidos e como nos sentimos quando pensamos a respeito depois, com mais calma.

Nos meios físicos e sociais cruéis em que evoluímos, essa ativação de múltiplos sistemas corporais foi de grande ajuda para a sobrevivência de nossos ancestrais. Mas qual é o preço que pagamos por isso hoje, com os estresses crônicos e medíocres da vida contemporânea?

O cérebro de Buda

Principais regiões do cérebro

Cada uma das regiões do cérebro tem diversas funções; abaixo, estão relacionadas as de maior relevância para este livro.

- **Córtex pré-frontal** – estabelece objetivos, faz planos, comanda ações e forma emoções, em parte conduzindo e às vezes inibindo o sistema límbico.
- **Córtex cingulado anterior (CCA)** – fixa a atenção, monitora planos e ajuda a integrar pensamento e sentimento (Yamasaki, LaBar e McCarthy 2002); chama-se "cingulado" porque é composto de um feixe curvo de fibras nervosas.
- **Ínsula** – percebe o estado interno do corpo, incluindo sensações instintivas, e ajuda a ter empatia; situado no interior dos lobos temporais de cada lado da cabeça (essas regiões não constam da figura 6).

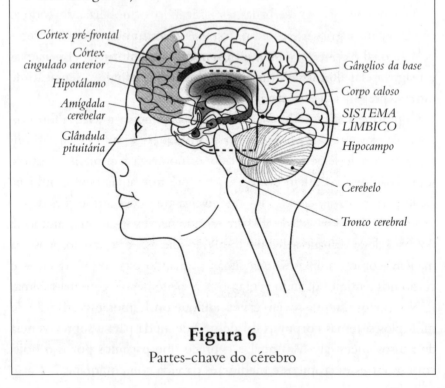

Figura 6
Partes-chave do cérebro

- **Tálamo** – é a principal estação retransmissora para informações sensoriais.
- **Tronco cerebral** – envia neuromoduladores como serotonina e dopamina para o restante do cérebro.
- **Corpo caloso** – passa informações entre os dois hemisférios do cérebro.
- **Cerebelo** – controla os movimentos.
- **Sistema límbico** – crucial para a emoção e a motivação, inclui os gânglios da base, o hipocampo, a amígdala cerebelar, o hipotálamo e a glândula pituitária; às vezes também é considerado como contentor de partes do córtex (isto é, cingulado, ínsula), mas, para simplificar, o definiremos anatomicamente como estruturas subcorticais; muitas regiões do cérebro além do sistema límbico estão envolvidas com a emoção.
- **Gânglios da base** – ligados a recompensas, busca por estímulos e movimentos; gânglios são "massas" de tecido.
- **Hipocampo** – forma novas memórias e reconhece ameaças.
- **Amígdala cerebelar** – tipo de alarme que responde particularmente a estímulos negativos ou dotados de carga emocional (Rasia-Filho, Londero e Achaval 2000).
- **Hipotálamo** – regula impulsos primários, como os relacionados com desejo e sexo, produz oxitocina e ativa a glândula pituitária.
- **Glândula pituitária** – produz endorfinas, ativa os hormônios do estresse, e armazena e libera oxitocina.

VIDA EM FOGO BRANDO

Inflamar-se por uma boa causa – como ficar entusiasmado ou exaltado, lidar com emergências ou ser contundente por algum motivo –, sem dúvida, faz parte da vida. Mas as flechas secundárias são uma péssima razão para estimular o sistema SNS/HPA e, quando se tornam rotineiras, podem disparar o nível de estresse até a zona de perigo.

O cérebro de Buda

Além disso, independentemente da situação de cada um, vivemos numa sociedade "pé na tábua", baseada na ativação ininterrupta do SNS/HPA; infelizmente, isso não é nada natural no que se refere a nosso padrão evolucionário.

Por todos esses motivos, a maioria de nós vive esse estímulo contínuo do SNS/HPA. Mesmo que a água não esteja borbulhando, ficar cozinhando lentamente com a flecha secundária ativada é bastante prejudicial. Assim, os recursos para projetos de longo prazo são frequentemente deixados de lado – como fortalecer o sistema imunológico e preservar o bom humor – para dar lugar a crises de curto prazo. E as consequências são permanentes.

Consequências físicas

Em nosso passado evolutivo, quando a maioria das pessoas morria em torno dos 40 anos, os benefícios de curto prazo da ativação do SNS/HPA superavam seu custo a longo prazo. Mas, hoje em dia, como queremos viver bem até muito além dessa idade, os danos acumulados de uma vida agitada demais causam grande preocupação. Por exemplo, a estimulação crônica do SNS/HPA perturba esses sistemas e aumenta os riscos de ocorrência dos problemas de saúde abaixo (Licinio, Gold e Wong 1995; Sapolsky 1998; Wolf 1995):

- **Gastrintestinais** – úlcera, colite, síndrome do intestino irritável, diarreia e prisão de ventre.
- **Imunológicos** – gripes e resfriados frequentes, cicatrização mais lenta e maior vulnerabilidade a infecções graves.
- **Cardiovasculares** – endurecimento das artérias e infartos.
- **Endócrinos** – diabetes tipo 2, síndrome pré-menstrual, disfunção erétil e diminuição da libido.

A primeira e a segunda flecha

Efeitos mentais

Por causa de todas as suas consequências físicas, as flechas secundárias exercem maior impacto sobre o bem-estar psicológico. Vejamos como elas agem no cérebro para aumentar a ansiedade e reduzir o ânimo.

ANSIEDADE

A atividade frequente do SNS/HPA torna a amígdala cerebelar mais reativa a ameaças aparentes, o que, por sua vez, aumenta a ativação do SNS/HPA, tornando a amígdala ainda mais sensível. O correlato mental desse processo físico é o aumento cada vez mais rápido da *ansiedade-estado*, relativa a situações específicas. Somando-se a isso, a amígdala cerebelar auxilia na formação de *memórias implícitas* (vestígios de experiências passadas que permanecem abaixo da consciência); à medida que fica mais sensível, encobre cada vez mais esses vestígios com medo, intensificando assim a *ansiedade-traço* (ansiedade contínua, independentemente da situação).

Ao mesmo tempo, a ativação constante do SNS/HPA esgota o hipocampo, o qual é vital para a formação de *memórias explícitas* – lembranças claras dos fatos. O cortisol e os glicocorticoides enfraquecem as conexões sinápticas existentes no hipocampo e inibem a formação de novas. Além disso, o hipocampo é uma das poucas regiões do cérebro humano capazes de criar novos neurônios – contudo, os glicocorticoides impedem o nascimento de neurônios no hipocampo, prejudicando sua capacidade de gerar novas memórias.

Para a amígdala cerebelar, ser sensibilizada em excesso enquanto o hipocampo é comprometido mostra-se uma péssima combinação: experiências dolorosas podem então ser registradas na memória implícita – com todas as distorções e potencializações de uma amígdala cerebelar sobrecarregada –, sem a lembrança acurada explícita delas, podendo se manifestar assim: *Algo aconteceu. Não sei exatamente o que, mas me deixou realmente perturbado.* Isso ajuda a explicar por que vítimas de situações traumáticas às vezes parecem dissociadas das coisas horríveis que lhe ocorreram, e, no entanto, são muito reativas a qualquer coisa que, inconscientemente, lhes faça lembrar o fato traumático. Em situações menos extremas, os golpes sucessivos de uma amígdala cerebelar acelerada e um hipocampo enfraquecido podem levar a uma sensação leve de aborrecimento, na maior parte do tempo, sem motivo aparente.

DEPRESSÃO

O estímulo regular do SNS/HPA debilita a base bioquímica de uma disposição equilibrada – sem mencionar animada – de várias maneiras:

- A norepinefrina ajuda a pessoa a se sentir alerta e mentalmente ativa, mas os hormônios glicocorticoides a esgotam. Falta de norepinefrina pode fazer com que ela se sinta vazia – até mesmo apática –, com dificuldade de se concentrar; esses são sintomas clássicos da depressão.
- Com o tempo, os glicocorticoides baixam a produção de dopamina. Resultado: as atividades que antes eram prazerosas agora perdem a graça, outro padrão típico da depressão.
- O estresse diminui a serotonina, provavelmente o neurotransmissor mais importante para a manutenção do bom humor. Quando a serotonina cai, o mesmo ocorre com a norepinefrina, já reduzida pelos glicocorticoides. Resumindo, baixa serotonina significa maior vulnerabilidade à melancolia e menor interesse pelo mundo ao redor.

Um processo íntimo

Naturalmente, nossa experiência com esses processos fisiológicos é muito íntima. Quando alguém está chateado, não pensa em todos esses detalhes bioquímicos. Contudo, ter uma noção geral a respeito, lá no

A primeira e a segunda flecha

fundo da mente, ajuda a compreender a absoluta fisicalidade de uma sucessão de flechas secundárias, sua natureza impessoal e dependência de causas anteriores, bem como sua impermanência.

Tal compreensão é esperançosa e motivadora. O sofrimento tem causas evidentes no cérebro e no corpo. Portanto, mudando essas causas, a pessoa sofre bem menos. E ela *é capaz*. De agora em diante, mostraremos como fazer exatamente isso.

O SISTEMA NERVOSO PARASSIMPÁTICO

Até agora examinamos como as reações alimentadas pela ganância e pelo ódio – sobretudo o último – reverberam na mente e no corpo, configuradas pelo sistema nervoso simpático. Mas o SNS é apenas uma das três partes do *sistema nervoso autônomo* (SNA), que opera na maior parte das vezes abaixo do nível de consciência para regular muitos sistemas corporais e suas reações a condições inconstantes. As outras duas partes são o *sistema nervoso parassimpático* (SNP) e o *sistema nervoso entérico*, que controla o sistema gastrintestinal. Abordaremos o SNP e o SNS, uma vez que têm papéis cruciais no sofrimento... e no fim dele.

O SNP conserva energia no corpo e é responsável por atividades contínuas e imutáveis. Ele produz uma sensação de tranquilidade, geralmente acompanhada de satisfação, e é considerado responsável pelo relaxamento e digestão, em oposição às reações de luta ou fuga do SNS. Esses dois setores do SNA se comportam como uma gangorra: quando um sobe, o outro desce.

O acionamento parassimpático é o estado de repouso normal do corpo, do cérebro e da mente. Se o SNS for cirurgicamente desconectado, a pessoa sobreviverá; no entanto, não será muito útil em situações de emergência. Se o SNP for desconectado, contudo, ela parará de respirar e logo morrerá. A ativação simpática é uma *mudança* no padrão de equilíbrio do SNP com a finalidade de reagir a uma ameaça ou oportunidade. A influência tranquilizadora e estabilizadora do SNP ajuda a pensar claramente e a evitar atitudes impensadas capazes de prejudicar a si ou aos outros. O SNP também acalma e tranquiliza a mente, favorecendo percepções contemplativas.

A VISÃO GERAL

O SNP e o SNS evoluíram lado a lado com o propósito de manter vivos os animais – entre eles, o homem – em meios potencialmente letais. Ambos são essenciais para nós.

Só para ter uma ideia, inspire e expire cinco vezes, um pouco mais fundo que de costume. Isso é, ao mesmo tempo, energizante e relaxante, ativando primeiro o sistema simpático e então o parassimpático, um e outro, num ritmo suave. Note como se sente ao acabar. Sentir-se vivo e centrado é a essência do auge do desempenho experimentado por atletas, executivos, artistas, amantes e pessoas que meditam. É o resultado do SNS e do SNP, o acelerador e o freio, trabalhando juntos em harmonia.

Felicidade, amor e sabedoria não são estimulados ao fechar-se o SNS, mas sim mantendo-se o sistema nervoso autônomo num estado de equilíbrio ideal, com:

- excitação, sobretudo do parassimpático, para uma base de tranquilidade e paz;
- ativação moderada do SNS para sentir entusiasmo, vitalidade e sentimentos saudáveis;
- picos ocasionais do SNS para lidar com situações desafiadoras, desde uma grande oportunidade no trabalho até um telefonema do filho adolescente no meio da madrugada pedindo para buscá-lo após uma noitada que não terminou bem.

A primeira e a segunda flecha

Esta é a melhor receita para uma vida longa, produtiva e feliz. Mas, é claro, demanda certa prática.

UM CAMINHO DE EXPERIÊNCIAS

Como diz o ditado: a dor é inevitável, o sofrimento é opcional. Se alguém for capaz de se manter presente diante de qualquer coisa que venha à consciência – seja uma flecha primária ou secundária –, sem criar uma nova reação, quebrará a cadeia do sofrimento no mesmo instante. Com o tempo, treinando e moldando a mente e o cérebro, é possível mudar até o que vem à tona, dando mais atenção ao que é positivo e diminuindo a importância do que é negativo. Nesse meio tempo, é possível relaxar e se fortalecer com a sensação cada vez maior de paz e clareza em sua verdadeira essência.

Esses três processos – *estar com* o que quer que surja, *lidar com* as tendências da mente para transformá-las e *amparar-se* no solo da existência – são os exercícios fundamentais do caminho para o despertar. De diversas maneiras, eles correspondem, respectivamente, à atenção plena, à virtude e à sabedoria – bem como às três funções neurais essenciais de aprendizado, controle e escolha.

Ao deparar-se com diferentes situações rumo ao despertar, passa-se várias vezes pelos seguintes estágios de crescimento:

- *Primeiro estágio* – a pessoa tem uma reação de flecha secundária e nem se dá conta. Por exemplo, a esposa se esqueceu de comprar leite e o marido reclama gritando, sem perceber que a reação é exagerada.
- *Segundo estágio* – o marido percebe que foi tomado pela ganância e pelo ódio (no sentido mais amplo), mas não se contém: por dentro, está se esforçando, mas não consegue parar de reclamar por causa do leite.

- *Terceiro estágio* – alguma reação se manifesta, mas o marido não a exterioriza: irrita-se, mas se lembra de que a esposa já faz muito por ele e que ficar mal-humorado só vai piorar as coisas.
- *Quarto estágio* – a reação nem sequer se manifesta, pois o marido nem considera isso um problema: entende que não há leite para beber e, com a companheira, decide calmamente o que fazer.

No aprendizado, esses estágios são conhecidos como incompetência inconsciente, incompetência consciente, competência consciente e competência inconsciente. São indicações muito úteis para a pessoa saber em que ponto está em uma determinada situação. O segundo estágio é o mais difícil, e, muitas vezes, é quando temos vontade de desistir. Assim, é importante continuar almejando o terceiro e o quarto estágios, ficar firme e chegar lá!

Para destruir estruturas antigas e construir novas, é preciso dedicação e tempo. Chamo isso de *a lei das pequenas coisas*: embora pequenos momentos de ganância, ódio e ilusão tenham deixado vestígios de sofrimento na mente e no cérebro, muitos pequenos momentos de prática substituirão esses Três Venenos, bem como o sofrimento que eles causam, por felicidade, amor e sabedoria.

Já falamos bastante a respeito das origens evolutivas e das causas neurais do sofrimento. A partir de agora, veremos como acabar com ele.

---

capítulo 3: PONTOS-CHAVE

- Algumas aflições físicas ou mentais são inevitáveis. São as "flechas primárias" da vida.
- Quando reagimos a uma flecha com um ou mais dos Três Venenos da ganância, do ódio e da ilusão (no sentido mais amplo), sendo que cada um deles carrega anseio em seu centro, começamos a

A primeira e a segunda flecha

lançar flechas secundárias contra nós mesmos e contra quem está em volta. De fato, muitas vezes atiramos flechas secundárias sem que a primeira tenha surgido. Pior ainda, às vezes atiramos flechas secundárias como reação a situações que, na verdade, são boas, como quando recebemos um elogio.

- O sofrimento é profundamente incorporado. As reações físicas que envolvem o sistema nervoso simpático (SNS) e o eixo *hipotála-mo-pituitária-adrenal* (HPA) tornam o sofrimento uma bola de neve no corpo.
- A maioria das pessoas experimenta reações crônicas de flechas secundárias sucessivas, com inúmeras consequências ruins para a saúde do corpo e da mente.
- O relaxante sistema nervoso parassimpático (SNP) abranda a ativa-ção do SNS/HPA.
- A melhor receita para viver bem e muito é ter uma excitação principalmente do SNP, com moderada ativação do SNS para a vita-lidade, combinadas com picos ocasionais do SNS em situações que apresentem ameaça ou oportunidade.
- Estar presente diante de qualquer coisa que venha à tona, lidar com a tendência da mente de transformá-la e amparar-se no cam-po da existência são as práticas fundamentais do caminho para o despertar. De diversas maneiras, elas correspondem, respectiva-mente, à atenção plena, à virtude e à sabedoria.
- No caminho para o despertar, é preciso seguir sempre em frente. Pequenos momentos de prática diária aumentam gradualmente a satisfação, a bondade e a capacidade de percepção.

Parte II

Felicidade

CAPÍTULO 4

Absorver o bem

"Sou maior, melhor do que imaginava, não sabia que tinha
tanta bondade dentro de mim."
Walt Whitman, "Song of the open road"

Da mesma maneira que o corpo é constituído pelo que comemos, a mente é composta pelas experiências que vivemos. O fluxo de experiências esculpe progressivamente o cérebro, moldando, portanto, a mente. Algumas coisas são lembradas com clareza: *Foi isso que eu fiz no último verão; foi assim que me senti quando estava apaixonado.* Porém, boa parte daquilo que forma a mente permanece inconsciente para sempre. É a chamada memória implícita, que inclui expectativas, padrões de relacionamentos, tendências emocionais, perspectivas gerais. A memória implícita define a configuração interna da mente – como alguém é – com base nos vestígios lentamente acumulados durante a vivência.

Até certo ponto, esses resíduos podem ser classificados em dois grupos: os que fizeram bem à pessoa e aos outros e os que provocaram danos. Parafraseando o Esforço Correto, o sexto elemento do Nobre Caminho Óctuplo do Budismo, é preciso criar, preservar e reforçar as memórias implícitas boas e evitar, eliminar ou reduzir as prejudiciais.

A MEMÓRIA TENDE À NEGATIVIDADE

O problema é justamente este: o cérebro busca, registra, armazena, recorda e reage preferencialmente às experiências desagradáveis; como já foi dito, é igual a velcro para as negativas e teflon para as positivas. Consequentemente, mesmo quando as experiências boas superam as ruins em quantidade, as últimas naturalmente se desenvolvem mais rápido. Com isso, o sentimento de ser como se é pode se tornar imerecidamente sombrio e pessimista.

De qualquer forma, as experiências ruins têm seu lado bom: a perda abre o coração, o remorso dá um direcionamento moral, a ansiedade alerta para o perigo e a raiva enfatiza injustiças que devem ser retificadas. Mas será que já não são experiências ruins o suficiente?! A dor emocional que não favorece ninguém é um sofrimento vão. E a dor de hoje resulta em mais dor amanhã. Mesmo um único episódio de depressão profunda pode reconfigurar os circuitos do cérebro, fazendo com que novos episódios sejam mais prováveis (Maletic *et al.* 2007).

O tratamento não é suprimir as experiências negativas; quando elas acontecem, acontecem. Em vez disso, deve-se cultivar as vivências positivas e, acima de tudo, assimilá-las e absorvê-las de modo que se tornem parte permanente do ser.

COMO INTERIORIZAR O QUE É BOM

Aqui está, em três etapas:

1. Transforme fatos positivos em *experiências* positivas. Coisas boas acontecem o tempo todo, só que não damos atenção a elas e, quando damos, raramente as sentimos. Alguém faz uma gentileza, notamos uma qualidade admirável em nós mesmos, uma flor brota no jardim, conclui-se um projeto difícil – e tudo acaba se esvane-

Absorver o bem

cendo. Por isso, vá atrás do que é bom, particularmente daquelas pequenas coisas do dia a dia: o rosto das crianças, o cheiro de uma laranja, a lembrança de uma viagem divertida, uma decisão acertada no trabalho, e assim por diante. Qualquer que seja o fato positivo que encontrar, traga-o à consciência plena – esteja aberto e deixe-se influenciar. É como estar num banquete: não fique apenas olhando – aproveite!

2. Curta a experiência. É maravilhoso! Faça com que dure cinco, dez, vinte segundos; não desvie a atenção para outra coisa. Quanto mais tempo algo é retido na consciência e quanto mais estimulante emocionalmente isso for, mais neurônios disparam e se conectam e maior é o rastro na memória (Lewis 2005).

Concentre-se nas emoções e sensações corporais, pois são a essência da memória implícita. Deixe a experiência tomar conta do corpo e ser a mais intensa possível. Por exemplo, se alguém fizer algo legal por você, deixe que o sentimento de ser agradado por alguém lhe traga aconchego.

Dê atenção especial ao lado gratificante do que viveu – como é bom ser abraçado por alguém de quem se gosta. Concentrar-se nessas recompensas faz aumentar a liberação de dopamina, o que facilita a manutenção da atenção à experiência e fortalece as associações neurais na memória implícita. Não se deve fazer isso para se apegar às recompensas – o que com o tempo traria sofrimento –, mas para interiorizá-las a fim de mantê-las consigo e não mais precisar buscá--las no mundo exterior.

Uma experiência também pode ser intensificada se for deliberadamente enriquecida. Por exemplo, ao curtir um relacionamento, evoque o sentimento de ser amado por outras pessoas, o que ajuda a estimular a oxitocina – o "hormônio da união" – e, portanto, aprofunda o senso de conexão. Ou então reforce a satisfação após concluir um trabalho complexo pensando em alguns dos desafios que você teve de superar.

3. Imagine ou sinta que a experiência está penetrando de modo profundo na mente e no corpo, como o calor do sol em uma camiseta ou a água em uma esponja. Continue a relaxar o corpo e a absorver as emoções, as sensações e os pensamentos proporcionados por essa vivência.

DOR QUE CURA

As experiências boas também podem ser usadas para aliviar, equilibrar e até substituir as ruins. Quando duas coisas são retidas na mente ao mesmo tempo, cria-se uma ligação entre elas. É por isso que conversar sobre coisas difíceis com alguém que nos apoia faz tão bem: lembranças e sentimentos dolorosos são imbuídos do aconchego, do alento e da intimidade que um tem com o outro.

Como usar os mecanismos da memória

Essas combinações mentais instigam os mecanismos da memória. Quando uma lembrança – implícita ou explícita – se forma, apenas suas características essenciais são armazenadas, não cada detalhe específico. Do contrário, o cérebro ficaria tão cheio que não sobraria espaço para aprender coisas novas. Pense em algo que tenha vivido, mesmo que seja recente, e perceba quão esquemática é sua lembrança, com os principais aspectos delineados, mas muitos detalhes são deixados de fora.

Quando o cérebro evoca uma lembrança, não o faz como um computador, que recupera um registro completo do que está no disco rígido (ou seja, documento, imagem, música). O cérebro reconstrói memórias implícitas e explícitas com base em suas características-chave, contando com sua capacidade de simulação para preencher os detalhes faltantes. Embora dê mais trabalho, constitui um uso mais eficiente do verdadeiro estado neural – assim, ele completa registros que não preci-

Absorver o bem

sam ser armazenados. E o cérebro é tão rápido que você não percebe a regeneração de cada memória.

Esse processo de reconstrução lhe dá a oportunidade, no microcircuito elétrico do cérebro, de mudar aos poucos as nuanças emocionais de sua configuração interior. Quando uma memória é ativada, um grande grupo de neurônios e sinapses cria um padrão emergente. Se você estiver pensando em outras coisas nesse exato momento – sobretudo se elas forem bastante agradáveis ou não –, sua amígdala cerebelar e seu hipocampo vão, automaticamente, associá-las com aquele padrão neural (Pare, Collins e Pelletier 2002). Então, quando tal lembrança deixar a consciência, ela será armazenada *com essas outras associações*.

Da próxima vez em que a memória for ativada, ela tenderá a trazer consigo aquelas associações. Consequentemente, trazer à mente sentimentos e pensamentos negativos enquanto uma lembrança é ativada faz com que ela seja obscurecida e levada a uma direção negativa. Por exemplo, pensar em algo que não deu certo no passado e, ao mesmo tempo, reprovar a si mesmo fará aquele fracasso parecer cada vez pior. No entanto, evocar emoções e perspectivas positivas enquanto memórias implícitas ou explícitas estão ativadas faz com que essas influências salutares sejam lentamente entremeadas com essas lembranças.

Sempre que isso ocorrer – entremear sentimentos e visões positivas em estados mentais dolorosos e limitantes –, mais um pouco da estrutura neural é construída. Com o tempo, o impacto acumulado desse material positivo vai, literalmente, sinapse por sinapse, produzir mudanças no cérebro.

Aprendizado para a vida toda

- Os circuitos neurais de uma pessoa começam a se formar antes do nascimento, e o cérebro continuará aprendendo coisas novas e se transformando até que ela dê o último suspiro.

O cérebro de Buda

- Em comparação com outros animais, o homem é o que tem a infância mais longa. Como as crianças são muito vulneráveis à natureza selvagem, deve ter havido uma grande compensação evolutiva ao se dar ao cérebro um período maior de desenvolvimento intenso. Sabemos que o aprendizado continua depois da infância e que estamos sempre adquirindo novas habilidades e conhecimentos até a velhice. (Aos 90 anos, meu pai me deixou espantado com um artigo em que calculava as melhores probabilidades para diferentes lances no *bridge*; há muitos exemplos como esse.)
- A capacidade que o cérebro tem de aprender – e, portanto, de transformar-se – chama-se *neuroplasticidade*. Em geral, os resultados são pequenas alternâncias de incremento em estruturas neurais que se somam com o passar dos anos. Às vezes, as consequências são drásticas – em cegos, por exemplo, algumas regiões occipitais destinadas a processos visuais podem ser realocadas para funções auditivas (Begley 2007).
- A atividade mental dá forma à estrutura neural de diversas maneiras:
  - Os neurônios que são particularmente ativos se tornam ainda mais responsivos às informações que entram.
  - As redes neurais atarefadas recebem maior fluxo sanguíneo, obtendo mais glicose e oxigênio.
  - Quando disparam juntos – alguns milissegundos entre um e outro –, os neurônios fortalecem as sinapses existentes e formam novas; é assim que eles "se conectam" (Tanaka *et al.* 2008).
  - As sinapses inativas definham por meio da *poda neural*, um tipo de sobrevivência dos mais ativos: use-as ou perca-as. Uma criança pequena tem cerca de três vezes mais sinapses do que um adulto; no processo para a fase adulta, um adolescente pode perder até dez mil sinapses por segundo no córtex pré-frontal (Spear 2000).

Absorver o bem

> - Os neurônios recém-formados se desenvolvem no hipocampo; essa *neurogênese* torna as redes de memória mais receptivas a novos aprendizados (Gould *et al.* 1999).
> - A estimulação emocional favorece o aprendizado aumentando a excitação neural e consolidando a mudança sináptica (Lewis 2005).

Em virtude das diversas maneiras pelas quais o cérebro altera sua estrutura, a experiência *vai além* de seu impacto momentâneo e subjetivo. Gera mudanças duradouras nos tecidos físicos do cérebro, afetando o bem-estar, o desempenho e os relacionamentos. Essa é uma razão fundamental e com base científica para sermos bondosos conosco, cultivando experiências salutares e incorporando-as.

Arrancar ervas daninhas e plantar flores

Para substituir gradualmente memórias implícitas negativas por positivas, é preciso destacar e intensificar os aspectos positivos da experiência, trazendo-os para primeiro plano na consciência, e deixar os negativos em segundo plano. Imaginemos que o conteúdo positivo da consciência esteja penetrando em feridas antigas, acalmando regiões irritadas e machucadas como um bálsamo calmante, preenchendo espaços e lentamente substituindo crenças e sentimentos ruins por bons.

As coisas ruins com as quais lidamos podem vir da fase adulta, até mesmo de experiências atuais. No entanto, é sempre importante tratar as memórias explícitas e implícitas da infância, uma vez que estão na origem de tudo o que costuma aborrecer as pessoas. Às vezes elas se criticam por ainda serem afetadas por acontecimentos passados. Mas lembre-se: o cérebro é projetado para mudar por meio de experiências, especialmente as negativas; aprendemos com

O cérebro de Buda

o que vivemos, sobretudo com o que se passou na infância, e é natural que esse aprendizado fique conosco.

Quando eu era garoto, costumava arrancar dentes-de-leão do jardim de casa, só que, se não os arrancasse pela raiz, eles voltavam a crescer. O mesmo ocorre com aquilo que nos perturba. É preciso mergulhar nas camadas mais antigas, vulneráveis e carregadas de emoção de sua mente e procurar a raiz daquilo que incomoda. Com um pouco de prática e autocompreensão, é possível desenvolver uma pequena lista de suspeitos — fontes profundas de aborrecimentos recorrentes — e refletir sempre sobre elas em momentos de irritação, ansiedade, mágoa ou incapacidade. Pode ser que essas fontes profundas incluam a sensação de rejeição por não ter tido amigos na escola, de impotência por alguma doença crônica ou de desconfiança após um divórcio difícil. Ao achar a ponta da raiz, deve-se incorporar as coisas boas que, aos poucos, expulsam a força opressora. Assim, passa-se a arrancar ervas daninhas do jardim da mente e a plantar flores em seu lugar.

Experiências dolorosas são superadas mais facilmente por vivências boas que representem o seu oposto — como substituir sentimentos de vulnerabilidade por uma sensação ativa de força. Se a tristeza por ter sido rejeitado em um relacionamento antigo vive voltando, lembrar-se das vezes em que foi amado por outras pessoas e absorver esse sentimento pode ser a solução. Acrescentar o poder da palavra, dizendo a si mesmo algo como *Eu passei por tudo isso, mas ainda estou aqui e sou amado por muita gente* não faz com que o que aconteceu seja esquecido, mas a carga emocional que acompanha essa lembrança diminuirá pouco a pouco.

A questão não é resistir às experiências ruins e agarrar-se às boas — isso é um tipo de súplica, que resulta em sofrimento. O importante é encontrar um equilíbrio entre manter-se atento, aberto e curioso quando se trata de experiências difíceis e, ao mesmo tempo, interiorizar sentimentos e pensamentos de incentivo.

Enfim, infundir coisas boas nas ruins de duas maneiras:

Absorver o bem

- Ao passar por uma boa experiência atualmente, fazer com que ela penetre em dores antigas.
- Quando algo ruim vier à tona, pensar em emoções e perspectivas positivas que sirvam de antídoto.

Sempre que um desses métodos for usado, é recomendável tentar sentir e absorver as experiências boas no mínimo mais duas vezes na hora seguinte. Há evidências de que a memória negativa – tanto explícita como implícita – é particularmente vulnerável a mudanças logo após ter sido recordada (Monfils *et al.* 2009).

Para ir além, exponha-se a pequenos riscos e faça aquilo que a razão manda, mas que a preocupação diz para evitar – como ficar mais aberto a sentimentos verdadeiros, sair em busca do amor ou conquistar novos patamares na carreira. Quando os resultados forem bons – como a maioria costuma ser –, assimile-os e livre-se aos poucos, mas de fato, dos velhos medos.

Na maioria das vezes, incorporar o que é bom leva menos de um minuto – às vezes, apenas alguns segundos. É um ato pessoal. Ninguém precisa saber. Com o tempo, estruturas cerebrais novas e positivas serão formadas de verdade.

POR QUE FAZ BEM INCORPORAR O QUE É BOM

Em virtude da tendência à negatividade do cérebro, é preciso um empenho *ativo* para interiorizar as experiências positivas e cicatrizar as negativas. Tender para o que é positivo é, na verdade, a correção de um desequilíbrio neurológico. E proporciona toda a atenção e o incentivo que deveria ter recebido na infância.

Dar mais importância ao que é salutar e deixar que isso tome conta naturalmente aumenta o fluxo cotidiano de boas emoções na mente.

O cérebro de Buda

Os efeitos das emoções são gerais, uma vez que organizam o cérebro. Consequentemente, sentimentos positivos trazem benefícios de longo prazo, como o fortalecimento do sistema imunológico (Frederickson 2000) e menor vulnerabilidade do sistema cardiovascular ao estresse (Frederickson e Levenson 1998). Melhoram o humor, deixam a pessoa mais otimista, forte e decidida, e ajudam a neutralizar os efeitos de experiências dolorosas, como traumas (Frederickson 2001; Frederickson *et al.* 2000). Assim, inicia-se um processo em que sentimentos bons hoje tornam mais provável a manifestação de emoções boas amanhã.

Esses benefícios também se aplicam às crianças. Absorver o que é bom é especialmente gratificante para elas, estejam elas na extremidade agitada ou ansiosa do espectro do temperamento. Crianças com muita energia geralmente passam direto para a próxima atividade antes que os bons sentimentos provocados pela anterior tenham a chance de se consolidar no cérebro; as ansiosas tendem a ignorar ou subestimar o que acontece de bom. E algumas crianças são agitadas *e* ansiosas. Se você convive com uma delas, qualquer que seja seu temperamento, estimule-a a parar por um instante no fim do dia (ou em qualquer outro intervalo natural, como no último minuto antes do sinal da escola) para lembrar o que ocorreu de bom e refletir sobre o que a faz feliz, como brincar com um animal de estimação, o amor dos pais, um gol marcado no futebol. E, então, a deixar que as emoções e os pensamentos bons penetrem em todo o seu corpo.

No que diz respeito à prática espiritual, absorver o que é bom enfatiza estados mentais essenciais, como bondade e paz interior, de modo que se possa saber como acessá-los novamente. Além de gratificante, isso ajuda a manter-se no caminho do despertar, o que às vezes parece ser um trabalho árduo. Cria segurança e fé ao mostrar os resultados de seus esforços. Alimenta o que é genuíno ao enfatizar emoções boas e sinceras – e, quando seu coração estiver satisfeito, haverá mais a oferecer aos outros.

Absorver o bem

Incorporar o que é bom não significa achar que tudo é uma maravilha, nem fugir das situações difíceis da vida. Trata-se de nutrir o bem-estar, a satisfação e a paz interior, refúgios que estão sempre disponíveis.

capítulo 4: PONTOS-CHAVE

- Memórias explícitas são recordações conscientes de acontecimentos ou informações específicas. Memórias implícitas são vestígios de experiências passadas cuja maior parte permanece abaixo do nível de consciência, mas que têm grande influência na configuração e na atmosfera interna da mente.
- Infelizmente, o cérebro tende a encaminhar as memórias implícitas para uma direção negativa, mesmo que a maior parte de suas experiências seja, na verdade, positiva.
- A primeira coisa a fazer é ir atrás das experiências positivas e interiorizá-las. Isso pode ser feito em três etapas simples: transformando fatos positivos em experiências positivas, desfrutando essas experiências e sentindo-as penetrar em você.
- Quando as experiências são consolidadas na memória, levam consigo tudo o mais que esteja na consciência, sobretudo se for intensa. Esse mecanismo pode ser usado para infundir o que é positivo no que é negativo; essa é a segunda coisa a ser feita. Enfatize e traga à consciência o que é positivo, deixando o que é ruim ser obscurecido lá no fundo. Há duas maneiras de fazer isso: ao passar por algo de bom, permita que penetre em você, acalmando e substituindo feridas antigas; quando uma coisa ruim vier à tona, pense em emoções e situações que representem seu oposto e sirvam de antídoto.

O cérebro de Buda

- Descubra as raízes profundas de perturbações recorrentes, cujas origens, em geral, estão em experiências da infância; aborrecimentos diferentes têm raízes distintas. Faça com que vivências positivas cheguem a essas raízes e as extraiam completamente para que não voltem a crescer.
- Toda vez que você assimila o que é bom, constrói um pouco de estrutura neural. Fazendo isso algumas vezes por dia – durante meses ou até anos –, mudará gradualmente seu cérebro, e o modo como sente e age, muito além do que imagina.
- É saudável absorver o bem. Isso acumula emoções positivas, com diversos benefícios para a saúde física e mental. É um ótimo recurso para crianças, principalmente as agitadas ou ansiosas, e ainda auxilia a prática espiritual, promovendo motivação, segurança e sinceridade.

CAPÍTULO 5

Acalmar os ânimos

"O sábio que está completamente satisfeito
Repousa em paz em todos os sentidos;
Nenhum desejo se prende a ele,
Cujo ardor foi resfriado, desprovido de combustível.
Todos os vínculos foram rompidos,
O coração foi conduzido para longe da dor;
Tranquilo, ele repousa com calma absoluta.
A mente encontra o caminho da paz."
Buda (Cullavagga 6:4.4)

Como já vimos, o sistema nervoso simpático (SNS) e os hormônios ligados ao estresse "se inflamam" para ajudá-lo a ir atrás de oportunidades e a se proteger de ameaças. É certo que há sempre lugar para arrebatamentos saudáveis e para fortes resistências contra coisas prejudiciais, porém, estamos sobressaltados durante a maior parte do tempo – correndo atrás de algo ou lutando contra algum obstáculo. E é por isso que, nos sentimos coagidos, aturdidos, estressados, irritados, ansiosos ou deprimidos. Nem um pouco felizes, definitivamente. Temos de sossegar o espírito. Este capítulo abordará diversas maneiras para conseguir isso.

Se o seu corpo tivesse um departamento de incêndio, seria o sistema nervoso parassimpático (SNP). Portanto, é por ele que vamos começar.

COMO ATIVAR O SISTEMA NERVOSO PARASSIMPÁTICO

O corpo tem inúmeros sistemas principais, como o endócrino (hormonal), o cardiovascular, o imunológico, o gastrintestinal e o nervoso. Para usar a ligação mente-corpo e baixar o estresse, acalmar os ânimos e conquistar saúde a longo prazo, qual é o ponto de entrada ideal em todos esses sistemas? É o sistema nervoso autônomo (SNA).

Isso porque o SNA — que é parte do sistema nervoso — se mistura com todos os outros sistemas e ajuda a regulá-los. E a atividade mental tem mais influência direta sobre o SNA do que qualquer outro sistema corporal. Quando você estimula o setor parassimpático do SNA, ondas calmantes, tranquilizantes e curadoras se propagam por seu corpo, cérebro e mente.

Vamos, então, explorar diversas formas de ativar o SNP.

Relaxamento

O relaxamento ativa os circuitos do SNP e, assim, o fortalece. Relaxar também acalma o sistema nervoso simpático "de luta ou fuga", pois os músculos relaxados enviam respostas aos centros de alarme no cérebro dizendo que está tudo bem. Quando se está bem relaxado, é difícil sentir-se estressado ou aborrecido (Benson 2000). Na verdade, o relaxamento pode até alterar o modo como seus genes são expressos e, consequentemente, reduzir os danos celulares do estresse crônico (Dusek *et al.* 2008).

É possível tirar proveito do relaxamento não apenas iniciando-o em situações estressantes específicas, mas também treinando o corpo "des-

Acalmar os ânimos

conectado" para relaxar automaticamente; as técnicas a seguir podem ser usadas de ambos os jeitos. Aqui estão quatro delas:

- Relaxe a língua, os olhos e os músculos do maxilar.
- Sinta a tensão se esvair de seu corpo e desaparecer.
- Coloque as mãos sob água corrente morna.
- Examine seu corpo em busca de regiões que estejam tensas e relaxe-as.

RESPIRAÇÃO PELO DIAFRAGMA

Esta técnica leva um ou dois minutos. O diafragma é um músculo situado abaixo dos pulmões e que ajuda na respiração. Exercitá-lo ativamente é muito bom para reduzir a ansiedade.

Coloque a mão na altura do estômago, alguns centímetros abaixo do "A" formado pelo centro da caixa torácica. Olhe para baixo e respire normalmente, observando sua mão. Ela provavelmente se moverá um pouquinho, para cima e para baixo.

Mantendo a mão no mesmo lugar, respire de modo que ela seja movimentada para fora e para dentro, perpendicularmente ao peito. Experimente respirar com vigor, de modo que sua mão vá um centímetro ou mais para dentro e para fora a cada respiração.

Isso requer prática, então persista até conseguir. Depois, respire pelo diafragma sem usar a mão – assim, poderá usar esse método até em lugares públicos, se quiser.

RELAXAMENTO PROGRESSIVO

Quando dispuser de três a dez minutos, experimente o relaxamento progressivo, concentrando-se sistematicamente em diferentes partes do corpo, dos pés à cabeça ou vice-versa. Dependendo do tempo que tiver disponível, você pode se concentrar em grandes regiões do corpo

– perna esquerda, perna direita – ou em áreas menores – pé esquerdo, pé direito, tornozelo esquerdo, tornozelo direito e assim por diante. O relaxamento progressivo pode ser feito com os olhos abertos ou fechados, mas aprender a fazê-lo com os olhos abertos ajudará você a relaxar mais profundamente se estiver com outras pessoas.

Para relaxar uma parte do corpo, basta trazê-la à consciência; por exemplo, neste exato momento, perceba as sensações na planta do pé esquerdo. Ou diga "relaxe" em sua mente ao ficar consciente dessa parte do corpo. Ou localize um ponto ou região nessa parte. O que funcionar melhor.

Para muita gente, o relaxamento progressivo é também um excelente método para adormecer.

Expiração extensa

Inspire o máximo que conseguir, prenda a respiração por alguns segundos e expire lentamente enquanto relaxa. A inalação extensa expande os pulmões, exigindo uma grande exalação para os pulmões voltarem a seu tamanho em repouso. Isso estimula o SNP, encarregado da expiração.

Toque nos lábios

Os lábios são dotados de fibras parassimpáticas; tocá-los, portanto, estimula o SNP. Esse ato também pode evocar a sensação calmante de estar comendo ou de quando era amamentado.

Consciência corporal

Pelo fato de o SNP ser primordialmente direcionado à manutenção do equilíbrio interno do corpo, trazer a atenção para dentro ativa as conexões parassimpáticas, desde que a atenção não se volte para a saúde. Experiências anteriores com consciência corporal (como ioga ou aula de controle do estresse) podem ajudar a estar completamente consciente de alguma coisa, em um dado momento, sem julgá-la nem resistir a ela. Simplesmente, prestar atenção nas sensações físicas.

Perceber o ato de respirar, por exemplo: o ar fresco entrando e o ar quente saindo, o peito e a barriga se expandindo e murchando. Ou a sensação de andar, tocar ou engolir. Até mesmo observar uma simples respiração do início ao fim – ou um único passo a caminho do trabalho – pode ser incrivelmente conscientizador e tranquilizante.

Imagens

Embora a atividade mental seja comumente associada ao pensamento verbal, a maior parte do cérebro, na verdade, se dedica a atividades não verbais, como o processamento de imagens mentais. As imagens acionam o hemisfério direito do cérebro e acalmam os diálogos interiores que poderiam provocar estresse.

Assim como no relaxamento, é possível recorrer a imagens para estimular o SNP ou fazer visualizações mais longas depois de desenvolver imagens que sirvam como um poderoso amparo para o bem-estar. Se a pessoa estiver estressada no trabalho, por exemplo, deve imaginar por alguns segundos um lago pacífico nas montanhas. Então, quando tiver mais tempo em casa, pode imaginar-se caminhando ao redor do lago e enriquecer seu filme mental com cheiros agradáveis de folhas de pinheiro ou o som de crianças rindo.

Equilíbrio dos batimentos cardíacos

O ritmo normal do coração sofre pequenas mudanças no intervalo entre cada batida; isso se chama *variabilidade do ritmo cardíaco* (VRC). Por exemplo, se o coração bate sessenta vezes por minuto, o tempo entre as batidas deve ser, em média, de um segundo. Só que o coração não é um metrônomo mecânico, e os intervalos entre as batidas mudam constantemente, podendo ser: 1 s; 1,05 s; 1,1 s; 1,15 s; 1,1 s; 1,05 s; 1 s; 0,95 s; 0,9 s; 0,85 s; 0,9 s; 0,95 s; 1 s; e assim por diante.

A VRC reflete a atividade do sistema nervoso autônomo. Por exemplo, o coração acelera um pouco na inspiração (ativação do SNS) e desacelera na expiração (excitação do SNP). O estresse, as emoções negativas e o envelhecimento reduzem a VRC, e pessoas com VRC relativamente baixa têm menor probabilidade de se recuperar após um infarto (Kristal-Boneh, *et al.* 1995).

Uma dúvida interessante é se a variabilidade do ritmo cardíaco é meramente um *efeito* dos altos e baixos do estresse e outros fatores ou se as mudanças na VRC são capazes, elas mesmas, de *causar* diretamente melhorias na saúde física e mental. Ainda não está comprovado, mas estudos revelam que aprender a aumentar a quantidade e a regularidade da VRC está associado à diminuição do estresse e à melhor saúde do sistema cardiovascular, das funções imunológicas e do humor (Luskin *et al.* 2002; McCraty, Atkinson e Thomasino 2003).

A VRC é um bom indicador da estimulação parassimpática e do bem-estar geral, e temos influência direta sobre ela. O Instituto HeartMath foi pioneiro nos estudos de VRC e desenvolveu inúmeras técnicas, as quais adaptamos para este exercício simples, composto de três partes:

1. Respirar de modo que a inspiração e a expiração tenham a mesma duração; por exemplo, contar até três mentalmente enquanto inspira e até três enquanto expira.
2. Ao mesmo tempo, imaginar ou sentir que está inalando e exalando pela região do coração.
3. À medida que respira uniformemente pelo coração, trazer à mente uma emoção gostosa, sincera, como gratidão, bondade ou amor — talvez pensando em um momento feliz, como brincar com as crianças ou com seu animal de estimação, apreciar as coisas boas da vida... Também pode-se imaginar esse sentimento passando através do coração como parte da respiração.

Acalmar os ânimos

Experimente fazer isso por pelo menos um minuto – os resultados são surpreendentes.

Meditação

A prática da meditação ativa o SNP de diversas formas – tira a atenção de assuntos estressantes, relaxa e traz um estado de consciência ao corpo. Ao estimular o SNP e outras partes do sistema nervoso, a meditação regular:

- aumenta a massa cinzenta na ínsula (Hölzel *et al.* 2008; Lazar *et al.* 2005), no hipocampo (Hölzel *et al.* 2008; Luders *et al.* 2009) e no córtex pré-frontal (Lazar *et al.* 2005; Luders *et al.* 2009), reduz o desgaste cortical resultante do envelhecimento nas regiões pré-frontais fortalecidas pela meditação (Lazar *et al.* 2008) e melhora as funções psicológicas associadas com essas regiões, incluindo atenção (Carter *et al.* 2005; Tang *et al.* 2007), compaixão (Lutz, Brefczynski-Lewis *et al.* 2008) e empatia (Lazar *et al.* 2005);
- reforça a ativação de regiões frontais do lado esquerdo, o que melhora o humor (Davidson 2004);
- aumenta o poder e a amplitude de ondas cerebrais gama em meditadores tibetanos experientes (Lutz *et al.* 2004); as ondas cerebrais são as ondas elétricas fracas, mas mensuráveis, produzidas por grandes quantidades de neurônios que disparam ritmicamente em conjunto;
- diminui o cortisol, que está relacionado com o estresse (Tang *et al.* 2007);
- fortalece o sistema imunológico (Davidson *et al.* 2003; Tang *et al.* 2007);
- ajuda a melhorar diversos problemas clínicos, como doenças cardiovasculares, asma, diabetes tipo 2, tensão pré-menstrual (TPM) e dores crônicas (Walsh e Shapiro 2006);
- auxilia em muitos problemas psicológicos, como insônia, ansiedade, fobias e distúrbios alimentares (Walsh e Shapiro 2006).

O cérebro de Buda

Existem diversas tradições contemplativas e muitas maneiras de meditar. O quadro a seguir descreve uma meditação consciente (também conhecida como meditação da atenção plena) básica. O segredo para colher as recompensas da meditação é desenvolver uma prática diária, regular, mesmo que curta. Que tal assumir o compromisso pessoal de nunca ir dormir sem ter meditado naquele dia, mesmo que por apenas um minuto? Pense também em fazer parte de um grupo de meditação perto de casa.

Meditação da atenção plena

Escolher um local confortável em que seja possível se concentrar e não ser interrompido por ninguém. Não há problema em meditar em pé, caminhando ou deitado, mas muitas pessoas meditam sentadas em uma cadeira ou em uma almofada apropriada. Adotar uma postura ao mesmo tempo relaxada e alerta e manter a coluna razoavelmente ereta. Como sugere o pensamento zen, a mente deve ser como o condutor habilidoso de um cavalo: rédeas nem frouxas, nem curtas demais.

Meditar pelo tempo que desejar. Pode-se começar com períodos mais curtos, mesmo que de apenas cinco minutos. Sessões mais longas, de trinta a sessenta minutos, ajudam a meditar mais profundamente. É possível estabelecer um tempo logo no início ou simplesmente deixar correr. Dar uma espiada no relógio durante a meditação não é um crime, e programar um despertador é uma opção. Algumas pessoas acendem um incenso, finalizando a meditação logo que ele para de queimar. O importante é sentir-se à vontade para adaptar as sugestões a seguir.

Respire bem fundo e relaxe, com os olhos abertos ou fechados. Perceba os sons que vêm e vão e aceite-os como são. Neste momento reservado para meditar, renuncie a todas as preocupações, como se depositasse no chão uma mala muito pesada e se jogasse em uma poltrona

Acalmar os ânimos

confortável. Quando terminar a meditação, você poderá pegar essas preocupações de volta – se quiser!

Preste atenção nas sensações envolvidas na respiração. Não tente controlá-la; respire naturalmente. Sinta o ar fresco entrar e o ar morno sair do corpo. O peito e o abdômen vão se expandir e murchar.

Tente acompanhar as sensações de cada respiração do início ao fim. Se quiser, pode contá-las calmamente – conte até dez e comece novamente; se sua mente se perder, volte à primeira – ou marque-as silenciosamente como "inspire", "expire". É normal que a mente perca um pouco o rumo; quando isso acontecer, volte a se concentrar na respiração. Seja gentil consigo e respeite seu tempo. Veja se consegue ficar atento a dez respirações seguidas (geralmente um desafio no início). Quando a mente se assentar durante os primeiros minutos de meditação, explore a sensação de estar cada vez mais absorvido na respiração e de deixar todo o resto de lado. Abra-se para os prazeres simples da respiração. Com a prática, veja se consegue acompanhar a respiração, inspirando e expirando inúmeras vezes seguidas.

Usando a respiração como um tipo de âncora, esteja atento a qualquer outra coisa que passar por sua mente. Mantenha-se consciente de pensamentos e sentimentos, desejos e planos, imagens e lembranças – todos chegam e vão embora. Deixe que sejam o que realmente são, não se prenda a eles, não lute contra eles nem os admire. Dê um sentido de aceitação – e até de gentileza – a qualquer coisa que atravessar o caminho aberto da consciência.

Continue o relaxamento com a respiração, com uma sensação cada vez maior de paz. Perceba a natureza mutável das coisas que passam por sua mente. Note qual é a sensação de ser envolvido pelas coisas que passam pela consciência – e qual é a sensação de deixá-las ir embora. Esteja consciente da vasta e tranquilizadora consciência em si.

Quando desejar, finalize a meditação. Perceba como se sente e interiorize o bem proporcionado por ela.

PARA SE SENTIR MAIS SEGURO

Como visto no capítulo 2, o cérebro está sempre examinando o mundo interior e exterior em busca de ameaças. Quando alguma é detectada, seu sistema de reação ao estresse é acionado.

Ocasionalmente, esse estado de vigilância é justificado, mas, geralmente, é exagerado, compelido por reações da amígdala cerebelar e do hipocampo a eventos passados pouco prováveis de acontecer. A ansiedade resultante é desnecessária e desagradável e mune o corpo e a mente para reagir exageradamente a coisas sem importância.

Além disso, a vigilância e a ansiedade desviam a atenção da absorção consciente e contemplativa. Não é à toa que as orientações tradicionais para a meditação geralmente incentivem os praticantes a encontrar um local de reclusão protegido. Um exemplo é a descrição do despertar de Buda sentado ao pé da figueira sagrada (Árvore de Bodhi), que o amparava. A sensação de segurança envia ao cérebro a mensagem de que ele pode recolher as tropas de vigilância e colocá-las para trabalhar internamente a fim de aumentar a concentração e a percepção — ou, simplesmente, dar um descanso a elas.

Mas há dois pontos importantes a serem abordados antes da exploração de métodos específicos para nos sentirmos mais seguros. Primeiro: em nossa realidade não existe essa história de segurança absoluta. A vida está em constante transformação, carros atravessam faróis vermelhos, pessoas adoecem e nações inteiras lutam e se destroem mundo afora. Não há terreno estável, não há abrigo perfeito. Reconhecer essa verdade é sinal de sabedoria, e aceitá-la e seguir em frente com a própria vida é revigorante. Segundo: para algumas pessoas, sobretudo as que passaram por algum trauma, reduzir a ansiedade pode parecer ameaçador, pois baixar a guarda faz com que se sintam vulneráveis. Por isso, preferimos falar em "sentir-se mais seguro" a "sentir-se seguro". E, por favor, adapte as técnicas seguintes às suas necessidades.

Acalmar os ânimos

Relaxar o corpo

O relaxamento drena a ansiedade como quando destampamos o ralo da banheira. (Ver os métodos descritos anteriormente neste capítulo.)

Recorrer a imagens

As imagens do hemisfério direito do cérebro estão intimamente ligadas com o processamento emocional. Para se sentir mais seguro, pode-se visualizar figuras protetoras, como uma avó querida ou um anjo da guarda. Ou imaginar-se envolvido por uma bolha de luz, como um campo de força. Em situações críticas, às vezes ouço a voz do Capitão Kirk (de *Jornada nas estrelas*) em minha mente: "Levantar escudos, Scotty!"

Relacionar-se com quem lhe dá apoio

Identifique amigos e parentes que se preocupem com você e passe mais tempo com eles. Quando não estiverem juntos, é possível se lembrar deles e absorver os bons sentimentos que isso proporciona. O companheirismo, mesmo quando apenas imaginado, aciona o circuito do cérebro envolvido no campo social e de relacionamentos. A proximidade física e emocional com cuidadores e outros membros do grupo era uma necessidade para a sobrevivência ao longo de nossa história evolutiva. Consequentemente, ativar o senso de proximidade provavelmente ajuda a pessoa a se sentir mais segura.

Ter consciência do medo

Ansiedade, pavor, apreensão, preocupação e mesmo pânico são estados mentais como quaisquer outros. Identifique o medo quando ele surgir,

O cérebro de Buda

perceba as sensações que ele provoca no corpo, observe enquanto ele tenta convencê-lo de que deve ficar alarmado, acompanhe sua mudança de rumo e siga em frente. Como reforço, é possível descrever verbalmente para si o que se está sentindo, para melhorar a regulação do sistema límbico pelo lobo frontal (Hariri, Bookheimer e Mazziotta 2000; Lieberman *et al.* 2007). A consciência que contém o medo é por si só desprovida desse sentimento. É preciso manter-se afastado do medo, tranquilizando--se no vasto espaço da consciência no qual ele é uma nuvem passageira.

Evocar protetores internos

Alimentadas pela rede distribuidora do sistema nervoso, subpersonalidades diferentes interagem de forma dinâmica para formar o eu, aparentemente maciço, mas, na verdade, fragmentado. Por exemplo, uma tríade bastante conhecida é a da criança interior/pai crítico/pai nutridor e a que com ela se relaciona, vítima/perseguidor/protetor. A subpersonalidade pai nutridor/protetor conforta, incentiva e acalma, opondo-se às vozes internas e externas críticas e degradantes. *Não* é bajuladora ou inventiva. É baseada na realidade, como um professor ou orientador íntegro, atencioso e direto que faz a pessoa se lembrar do que há de bom nela mesma e no mundo ao mesmo tempo em que afasta os mesquinhos.

Ao longo da vida, muitos de nós nos desapontamos com pessoas que deveriam ter nos protegido melhor. As maiores decepções em geral não são com pessoas que já nos magoaram, mas com aquelas de quem não esperávamos tal comportamento, com as quais sempre tivemos maior ligação, e por isso nos sentimos mais decepcionados. Sendo assim, é compreensível que o protetor interior não seja tão forte como poderia. Portanto, deve-se dar atenção especial à sensação de estar com pessoas fortes que se importam com você e o defendem, viver essa experiência e incorporá-la. Imagine ou escreva um diálogo entre uma subpersonalidade interior protetora e outra crítica ou inquietante — faça com que a primeira crie fortes argumentos em sua defesa.

106

Acalmar os ânimos

Ser realista

Recorra a suas aptidões pré-frontais para avaliar: qual é a probabilidade de aquele temido evento acontecer? Até que ponto seria grave? Por quanto tempo seus efeitos seriam sentidos? O que pode ser feito para lidar com isso? Quem pode ajudar?

A maioria dos medos é exagerada. Com o passar do tempo, o cérebro desenvolve expectativas baseadas nas experiências pessoais, em especial as negativas. Mesmo quando ocorrem situações nem um pouco parecidas, o cérebro automaticamente aplica tais expectativas a elas; se ele espera sofrimento ou danos, ou apenas sua iminência, emite sinais de medo. Mas, por sua tendência à negatividade, muitas expectativas de dor e prejuízo são exageradas e absolutamente infundadas.

Por exemplo, eu era uma criança tímida e mais nova do que a maioria dos meus colegas de classe, por isso, cresci sentindo-me um intruso, deslocado em diversas situações. Mais tarde, já adulto, quando ingressava num novo grupo (o conselho de um projeto sem fins lucrativos, por exemplo), já me considerava, de antemão, um intruso outra vez e me sentia muito mal com isso – mesmo que as pessoas do grupo fossem totalmente receptivas.

As expectativas que carregamos desde a infância – em geral as mais fortes de todas – são bastante suspeitas. Quando se é jovem, (A) não se tem muita escolha em relação à família, à escola e aos colegas; (B) os pais e muitas outras pessoas têm bem mais poder; e (C) não se tem recursos próprios suficientes. No entanto, na fase adulta, a realidade é que (A) a gama de opções sobre o que fazer na vida é muito maior; (B) as diferenças de poder entre você e os outros são normalmente mínimas ou nulas; e (C) diversos recursos internos e externos estão disponíveis, como capacidade de superação e boa vontade das pessoas em relação a você. Então, quando o medo se manifestar, pergunte-se: quais são as escolhas que estão ao meu alcance? Como exercitar o poder com habilidade para me defender e cuidar de mim? Com que recursos posso contar?

Tentamos enxergar o mundo claramente, sem distorções, confusões ou atenção seletiva. Qual é a realidade? A ciência, os negócios, a medicina, a psicologia e a prática contemplativa são todos fundamentados na verdade das coisas, qualquer que seja ela; no budismo, por exemplo, a ignorância é tida como a principal fonte de sofrimento. Não é de surpreender que, segundo alguns estudos, avaliar mais acuradamente uma situação produz mais emoções positivas e menos negativas (Gross e John 2003). E, se realmente houver algo com que se preocupar (como pagar uma conta, consultar um médico), deve-se lidar com o fato da melhor maneira possível. Fazer *algo* a respeito e seguir em frente, por si só, não apenas faz com que a pessoa se sinta melhor como também lhe dá uma perspectiva mais otimista da situação que a preocupa (Aspinwall e Taylor 1997).

Cultivar a sensação de segurança nos relacionamentos

Os relacionamentos com os cuidadores na infância – sobretudo os pais – provavelmente exerceram grande influência sobre as expectativas, os comportamentos, as emoções e as ações das pessoas em suas relações mais importantes quando adultas. Dan Siegel (2001, 2007), Allan Schore (2003), Mary Main (Main, Hesse e Kaplan 2005) e outros ajudaram a esclarecer a neurobiologia do vínculo. Resumindo uma extensa pesquisa, as experiências recorrentes que uma criança tem com os pais – que são afetados pelo temperamento dela – criam um de quatro tipos de *vínculo: seguro, inseguro-evitante, inseguro-ansioso e desordenado* (este último é raro e não será discutido aqui). O tipo de vínculo com um dos pais é, em grande parte, independente do estabelecido com o outro. Vínculos inseguros parecem estar associados a padrões característicos de atividade neural, como a falta de integração entre o córtex pré-frontal e o sistema límbico (Siegel 2001).

O tipo de vínculo tende a persistir na fase adulta e se torna o padrão subjacente de relacionamentos importantes. Grande parte da população cresceu com vínculo inseguro-evitante ou inseguro-ansioso, mas ainda é possível mudá-lo para aumentar a sensação de segurança nas relações sociais. A seguir estão algumas técnicas para conseguir isso:

- Descobrir como sua formação afetou o relacionamento com seus pais, especialmente na primeira infância, e procurar reconhecer qualquer vínculo de insegurança.
- Manifestar compaixão por você diante de qualquer sentimento de insegurança.
- Conviver, o máximo possível, com pessoas que lhe proporcionem confiança e estímulo, e absorver a sensação de estar com elas. Além disso, fazer o que estiver a seu alcance para ser bem tratado nos relacionamentos já existentes.
- Praticar a consciência de seu estado interno, também pela meditação, dando a si mesmo a atenção e a harmonia que deveria ter realmente recebido quando criança. Esse estado de consciência aciona as regiões medianas do cérebro e aumenta a coordenação entre o córtex pré-frontal e o sistema límbico; estes são substratos neurais essenciais do vínculo seguro (Siegel 2007).

UM LUGAR PARA SE REFUGIAR

Nesta vida, onde alguém se refugia? Entre os portos seguros conhecidos estão pessoas, lugares, lembranças, ideias e sonhos – qualquer um ou qualquer coisa que proporcione proteção e confiança para que se possa baixar a guarda e acumular força e sabedoria. Na infância, o refúgio pode ter sido o colo da mãe, o ato de ler na cama ou brincar com os amigos. Eu, pessoalmente, passava muito tempo nas montanhas que circundavam minha casa, esvaziando a cabeça e sendo recarregado pela natureza.

Para um adulto, o refúgio talvez seja um lugar específico (como uma igreja ou um templo), uma atividade (por exemplo, um passeio tranquilo com o cachorro, um banho demorado) ou a companhia de colegas, amigos ou mesmo de um professor. Alguns refúgios são inexprimíveis, embora potencialmente mais profundos: a confiança no poder da razão, a sensação de estar conectado com a natureza ou a simples intuição de que está tudo bem.

Considere estes refúgios, adaptados do budismo com alguns significados ampliados:

- Professor, instrutor – a figura histórica em que se concentra uma fé tradicional (como Jesus, Moisés, Sidarta ou Maomé), na qual se confia; as qualidades incorporadas por essa pessoa que também estão presentes em você.
- Verdade – a realidade em si e descrições detalhadas dela (de que maneira o sofrimento surge e termina, por exemplo).
- Boa companhia – tanto daqueles que estão mais adiantados rumo ao despertar como daqueles que seguem com você.

Os refúgios evitam que a pessoa reviva situações e preocupações e a preenchem com influências positivas. Conforme ela fica mais relaxada com essa sensação de proteção, os neurônios vão, discretamente, costurando uma rede de segurança. No caminho para o despertar, é natural passar por momentos de revolta, opressão ou desnorteamento quando antigas crenças se desfazem. Em circunstâncias como essas, os refúgios a apanharão e a conduzirão para fora da tempestade.

Deve-se obter refúgio em uma ou mais coisas todos os dias. Pode ser formal ou informal, verbal ou não – o que funcionar melhor para cada um, experimentando diferentes maneiras de sentir tal proteção, como a sensação de que o refúgio está no lugar de onde veio ou que flui através de você.

Acalmar os ânimos

Como explorar seus refúgios

Identifique alguns de seus refúgios. Então, realize esta análise com quantos quiser. É possível fazer isso com os olhos abertos ou fechados, devagar ou rápido. No lugar da frase sugerida *Encontro refúgio em* _____, pode-se usar:

Eu me refugio em _____.

Procuro refúgio para _____.

Eu venho de _____.

Existe _____ *aqui*.

_____ *passa por mim*.

*Sou alguém com*_____.

Ou o que preferir.

Pense em um refúgio. Evoque a sensação que ele traz ou visualize-o e sinta-o em seu corpo. Sinta como lhe faz bem refugiar-se ali. Receber a influência dele em sua vida. Ligar-se àquele lugar. Obter seu abrigo e sua proteção. Diga a si mesmo de maneira tranquila: Encontro refúgio em _____. *Ou, sem recorrer a palavras, sinta que está obtendo abrigo ali.*

Perceba como é essa sensação. Deixe que entre por todos os espaços de seu corpo e se torne parte de você.

Quando se sentir pronto, parta para outro refúgio. E, depois, para quantos outros quiser.

Após passar por todos os seus refúgios, perceba qual foi a sensação da experiência. Saiba que você sempre carregará esses refúgios com você.

capítulo 5: PONTOS-CHAVE

- O modo mais eficiente de usar a conexão corpo-mente em prol da saúde física e mental é pelo controle do sistema nervoso autônomo (SNA). Toda vez que o SNA for acalmado por meio da estimulação do sistema nervoso parassimpático (SNP), levará o corpo, o cérebro e a mente cada vez mais em direção ao bem-estar e à paz interior.

- O SNP pode ser ativado de diversas maneiras: relaxamento, grandes exalações, toque dos lábios, consciência em relação ao próprio corpo, imagens, estabilização dos batimentos cardíacos e meditação, por exemplo.

- A meditação aumenta a massa cinzenta nas regiões do cérebro envolvidas com atenção, compaixão e empatia. E ainda ajuda na recuperação de várias doenças, fortalece o sistema imunológico e melhora a área psicológica.

- Criar uma sensação de maior segurança ajuda a controlar a tendência intrínseca de antecipar e reagir exageradamente a ameaças. É possível sentir-se mais seguro relaxando, recorrendo a imagens, relacionando-se com outras pessoas, estando consciente do próprio medo, evocando protetores interiores, sendo realista e aumentando seu senso de vínculo seguro.

- Buscar proteção e conforto no que seja considerado um refúgio deixa a pessoa renovada. Esses refúgios podem ser pessoas, atividades, lugares e coisas intangíveis como a razão, a sensação de seu eu mais profundo ou sua verdade.

CAPÍTULO 6

Grandes intenções

*"Faça tudo o que puder, com tudo o que tiver, no tempo
de que dispuser, no lugar onde estiver."*
Nkosi Johnson

O capítulo anterior analisou principalmente as formas de acalmar a ganância e o ódio para reduzir as causas do sofrimento. Este trata do "aquecimento" da força interior, que vai aumentar as origens da felicidade. Mostrará como o cérebro é motivado – como estabelece propósitos e vai atrás deles – e como usar essas redes neurais para seguir adiante com ânimo nos dias que estão por vir. Estar vivo é direcionar-se para o futuro (Thompson 2007), é estender-se para o próximo fôlego ou refeição. Ou buscar a felicidade, o amor e a sabedoria.

O NEUROEIXO

O cérebro evoluiu de baixo para cima e de dentro para fora, ao longo do que chamamos de *neuroeixo* (Lewis e Todd 2007; Tucker, Derryberry e Luv 2000), o que é uma forma de conceituar a organização do cérebro. Começando pela base, vamos avaliar como cada um dos quatro níveis principais do neuroeixo apoia suas intenções.

Tronco cerebral

O tronco cerebral envia neuromoduladores como norepinefrina e dopamina para todo o cérebro a fim de deixá-lo pronto para a ação, manter sua energia enquanto tenta atingir seus objetivos e recompensá-lo quando eles são conquistados.

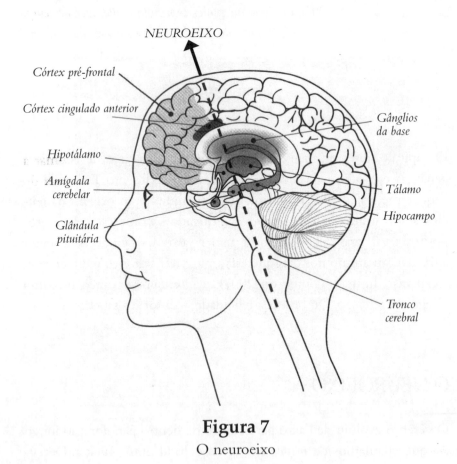

Figura 7
O neuroeixo

Grandes intenções

Diencéfalo

O *diencéfalo* é formado pelo tálamo (o painel de comando central do cérebro para informações sensoriais) e pelo hipotálamo, que comanda o sistema nervoso autônomo e influencia o sistema endócrino por meio da glândula pituitária. O hipotálamo regula os instintos primitivos (como necessidade de água, comida e sexo) e as emoções primitivas (medo, raiva).

Sistema límbico

O sistema límbico evoluiu a partir do diencéfalo e abrange a amígdala cerebelar, o hipocampo e os gânglios de base. É essencialmente o centro das emoções.

As estruturas límbicas alojam-se sobre as laterais do diencéfalo e, em alguns casos, abaixo (como a amígdala). São consideradas um nível superior do diencéfalo por terem surgido mais recentemente do ponto de vista evolutivo – embora algumas dessas estruturas estejam mais abaixo, o que pode ser um pouco confuso.

Córtex

O córtex envolve o córtex pré-frontal, o cingulado e a ínsula. Essas regiões – que têm papel de destaque neste livro – lidam com raciocínios abstratos e conceitos, valores, planejamentos e as "funções executivas" de organização, automonitoramento e controle de impulsos. O córtex também abrange as faixas sensoriais e motoras que se estendem mais ou menos de orelha a orelha (sensação e movimento) e os lobos parietais (percepção), temporais (linguagem e memória) e occipital (visão).

Esses quatro níveis trabalham juntos para manter a motivação; eles se integram para cima e para baixo no neuroeixo. Geralmente, os níveis inferiores orientam e energizam os mais altos, os quais controlam e inibem os inferiores. Os níveis mais baixos têm maior controle direto sobre o corpo e menor capacidade de mudar as redes neurais. Os superiores são o oposto: embora estejam mais distantes da ação, têm neuroplasticidade muito maior – a capacidade de ser moldado pela atividade neural/mental, de aprender com a experiência. Em todos os níveis do neuroeixo, as intenções – os objetivos e as estratégias a eles relacionadas – em andamento na vida de alguém operam principalmente além da consciência.

Quanto mais baixo é o neuroeixo, mais imediatas são as reações; quanto mais alto, maiores os intervalos de tempo. Por exemplo, influências corticais ajudam a deixar passar uma recompensa neste momento com a finalidade de obter uma maior no futuro (McClure *et al.* 2004). Geralmente, quanto maior é a perspectiva, mais sábias são as intenções.

O MACROSSISTEMA MOTIVACIONAL
O centro de operações do córtex cingulado anterior

Embora cada parte do neuroeixo trabalhe com as outras, duas regiões em particular são centros, enviando raios neurais em diversas direções: o córtex cingulado anterior (CCA) e a amígdala cerebelar. Comecemos pelo CCA (para maiores detalhes, consulte Lewis e Todd 2007; Paus 2001).

Do ponto de vista evolutivo, o CCA está intimamente ligado às recentes regiões *dorsal* (superior) e *lateral* (externa) do córtex pré-frontal, as quais são representadas pelo acrônimo CPFDL (córtex pré-frontal dorsolateral). O CPFDL é um *substrato*, ou base, neural essencial da *memória de trabalho*, que é um tipo de área de trabalho em que o cérebro reúne informações para resolver problemas e tomar decisões. O CCA está também intimamente ligado à área motora suplementar, na qual novas ações são planejadas. Por meio dessas ligações, o CCA conduz suas ações para que suas intenções sejam cumpridas.

Grandes intenções

Quando uma intenção se consolida, sua experiência interna de coisas se reunindo por um propósito unificado reflete uma *conexão neural*. Nos "raios" corticais do CCA, muitas regiões vastas (na escala microscópica das células) começam a pulsar juntas, sincronizando os altos e baixos de seus ritmos de disparo, tipicamente na oscilação gama de sincronia neural: de trinta a oitenta vezes por segundo (Thompson e Varela 2001).

O CCA é o principal supervisor da atenção. Ele monitora a progressão até seus objetivos e sinaliza quaisquer conflitos entre eles. Suas camadas superiores administram o *controle de esforço,* a constante e deliberada regulação de pensamentos e comportamento. Essas áreas não se desenvolvem completamente antes dos 3 a 6 anos (Posner e Rothbart 2000), o que explica por que crianças mais novas têm menos autocontrole que as mais velhas. Sempre que alguém exercitar conscientemente sua vontade, o CCA estará envolvido.

Por meio dessas densas e recíprocas conexões com a amígdala cerebelar, o hipocampo e o hipotálamo, o CCA influencia as emoções e é por elas influenciado. Por isso, é um local essencial para a integração entre pensamento e sentimento (Lewis 2005). Fortalecer o CCA — pela meditação, por exemplo — ajuda a pensar com clareza quando se está aborrecido e traz receptividade e inteligência emocional ao raciocínio lógico.

Em resumo, o CCA está no centro da motivação equilibrada, deliberada e controlada.

O centro de operações da amígdala cerebelar

Por meio de suas densas conexões com o CCA, o córtex pré-frontal, o hipocampo, o hipotálamo, os gânglios de base e o tronco cerebral, a amígdala cerebelar é o segundo maior centro da atividade motivacional.

De tempos em tempos, a amígdala chama a atenção para o que é relevante: o que é agradável, o que não é, o que representa uma oportunidade ou uma ameaça. E também molda e matiza percepções, avaliações, atribuições de intenções alheias e julgamentos. Tais influências são exercidas, na maior parte, sem que se tenha consciência, o que aumenta o poder delas, já que operam sem que a pessoa perceba.

Quando alguém fica realmente motivado, significa que as regiões subcorticais que se conectam com a amígdala estão sincronizadas entre si. As redes neurais do sistema límbico, do hipotálamo e do tronco cerebral começam a pulsar juntas, geralmente na frequência teta de quatro a sete vezes por segundo (Kcosis e Vertes 1994; Lewis 2005).

Em resumo, a amígdala cerebelar está no centro da motivação reativa, distribuída e impetuosa, do detalhe para o todo.

Cabeça e coração

Juntos, os centros de operações do CCA e da amígdala formam um sistema unificado que está envolvido em quase todos os aspectos da atividade motivada. Esses centros regulam um ao outro; por exemplo, num processo de três etapas, a amígdala excita as partes inferiores do CCA, que, por sua vez, excitam suas partes superiores, as quais, então, inibem a amígdala (Lewis e Todd 2007). Como consequência, a aparentemente racional rede do CCA é profundamente envolvida em suas emoções e passa por suas projeções descendentes até os três níveis mais baixos do neuroeixo. Enquanto isso, a suposta rede irracional da amígdala ajuda a formar avaliações, valores e estratégias através de suas projeções ascendentes até o córtex.

Essa integração pode acontecer em uma fração de segundo, uma vez que populações neurais ao longo de todo o neuroeixo sincronizam-se umas com as outras em reação a informações motivacionais significativas, ajustando seu ritmo. De maneira geral, essa integração pode ser mantida por muitos anos. Pense em como motivações "ponderadas", derivadas do CCA, e "entusiasmadas", vindas da amígdala, trabalham em conjunto em áreas importantes da vida. Por exemplo, o cuidado bondoso de uma criança com necessidades especiais se beneficia da

Grandes intenções

objetividade fria que envolve manter boas relações com uma escola da região para que a criança desfrute dos melhores recursos.

Contudo, esses dois centros podem entrar em descompasso ou conflito. Na adolescência, por exemplo, a rede do CCA é frequentemente superada pela da amígdala cerebelar. É preciso perguntar-se, quando se trata das próprias motivações, se essas duas redes – cabeça e coração, metaforicamente falando – têm a mesma força e se estão indo na mesma direção. No meu caso, há alguns anos, percebi que o preparo da minha mente havia sido muito mais estimulado que o do meu coração; por isso, desde então, tenho me concentrado mais neste último.

Intenções e sofrimento

Há quem diga que o desejo leva ao sofrimento, mas será que isso é sempre verdade? O território do desejo é muito vasto e inclui vontades, intenções, esperanças e desejos incontroláveis. Se o desejo resulta em sofrimento ou não, isso depende de dois fatores: há um desejo incontrolável envolvido, a sensação de que precisa daquilo de qualquer jeito? E *para que* serve o desejo? Em relação ao primeiro fator, o desejo por si só não é a raiz do sofrimento; o desejo incontrolável é. É possível querer ou planejar algo sem ansiar pelo resultado; ou querer ir até a geladeira pegar um ovo sem ansiar por ele nem ficar aborrecido se não houver nenhum.

Quanto ao segundo fator, as intenções são facas de dois gumes; podem ajudar ou prejudicar você. Os Três Venenos – ganância, ódio e ilusão –, por exemplo, são um tipo de intenção: conquistar o prazer e agarrar-se firmemente a ele, resistir à dor e a qualquer outra coisa de que não goste e ignorar ou deturpar o que preferiria nem saber.

Propósitos nocivos operam em todos os níveis do cérebro, desde a raiva e o medo liberados pelo hipotálamo até planos engenhosos de retaliação formados pelo córtex pré-frontal. Mas o mesmo ocorre com tendências salutares de generosidade, bondade e percepção: elas se propagam para cima e para baixo no neuroeixo, desde a energia visceral do

O cérebro de Buda

tronco cerebral por boas causas a conceitos abstratos sustentados pelo córtex pré-frontal. Quanto mais tendências positivas forem profundamente elaboradas em diferentes níveis do cérebro, mais os Três Venenos serão empurrados para fora. É importante alimentar boas intenções em *todos* os níveis do neuroeixo – e cultivar a força para realizá-las.

SENTIR-SE FORTE

Num período de férias escolares, acompanhei um grupo de garotos para fazer um mochilão no Parque Nacional de Yosemite, na Califórnia. Não vimos ninguém o dia todo antes de parar para almoçar numa área rochosa à beira de um rio, onde a trilha desaparecia. Seguimos, então, em direção à floresta e retomamos a trilha. Menos de dois quilômetros depois, um dos meninos percebeu que havia deixado a jaqueta perto do rio. Eu disse que iria buscá-la e encontraria o grupo no acampamento, que ficava bem adiante dali. Larguei a mochila ao lado da trilha, voltei ao lugar em que havíamos almoçado, procurei e encontrei a jaqueta.

Só que aí eu não conseguia achar a trilha. Após meditar um pouco no meio de todas aquelas rochas, me dei conta: era fim de tarde, as pessoas mais próximas se encontravam a quilômetros dali, estava ficando muito frio e eu já considerava passar a noite a 1.800 metros de altitude só de camiseta e calça jeans. Foi quando uma sensação forte e sem igual se apossou de mim. Senti-me como um animal selvagem, como um gavião que faria o que fosse preciso para sobreviver. Fui tomado de uma feroz determinação de sobreviver àquele dia e, se necessário, àquela noite. Recém-energizado, andei em círculos cada vez maiores e finalmente encontrei a trilha. Consegui chegar ao acampamento tarde da noite. Nunca me esqueci das sensações intensas daquele dia, e desde então já recorri muitas vezes a elas para buscar forças.

Quando você se sentiu realmente forte? Como foi essa experiência – no que se refere ao corpo, às emoções, aos pensamentos? A for-

Grandes intenções

ça costuma se manifestar mais como uma determinação silenciosa e receptiva do que como prepotência e agressividade. Uma das pessoas mais fortes que conheci foi minha mãe, que sempre cuidava da família independentemente do que acontecesse.

Para sentir-se mais forte

A força tem dois elementos principais: energia e determinação. É possível intensificá-los respirando um pouco mais rápido ou contraindo um pouco os ombros, como quando se prepara para carregar algo. Familiarize-se com os movimentos dos músculos – muitas vezes sutis – associados à força. Assim como as expressões faciais de uma emoção reforçam tal sentimento (Niedenthal 2007), empregar os movimentos musculares de força intensificarão essa experiência.

Adote o hábito de evocar deliberadamente uma sensação de força – não para dominar algo ou alguém, mas para alimentar suas intenções (veja adiante o exercício "Como se sentir mais forte"). Envolva todo o neuroeixo para tirar o máximo proveito de sua experiência de força. Por exemplo, pense em uma sensação de obstinação visceral, poderosa o suficiente para estimular o tronco cerebral a enviar ao resto do cérebro norepinefrina e dopamina, que causam excitação e iniciativa. Coloque o sistema límbico em ação pensando em como é bom ser forte, assim você será cada vez mais atraído por essa sensação no futuro. Introduza o poder da linguagem cortical comentando sobre a experiência consigo mesmo: *Sinto-me forte. É bom ser forte.* Detecte quaisquer crenças de que é ruim ou errado ser forte e livre-se delas com pensamentos como *Ser forte me ajuda a fazer coisas boas. Eu tenho o direito de ser forte.* É importante que as intenções em todos os níveis do neuroeixo estejam seguindo na mesma direção.

Quando vivenciar a força – seja evocando-a deliberadamente, seja porque ela simplesmente se manifesta –, incorpore-a de forma consciente para que ela aprofunde suas marcas na memória implícita e se torne parte de você.

Como se sentir mais forte

Há muitas maneiras de encontrar e intensificar a sensação de força. Este exercício aborda algumas delas, que podem ser adaptadas como preferir. É melhor fazê-lo de olhos abertos, pois você precisará de força justamente em situações do dia a dia em que estará assim.

Respire fundo e entre em seu interior. Permaneça consciente dos pensamentos que passam pela mente, sem ter necessidade de se ligar a eles. Sinta a força na consciência, sempre clara e permanente, independentemente do que passar por ela.

Agora sinta a vitalidade no corpo. Note como a respiração tem força própria. Sinta seus músculos, sua capacidade de se mover em qualquer direção. Perceba a força animal no corpo (mesmo que ele também seja fraco em alguns aspectos).

Relembre uma situação em que se sentiu verdadeiramente forte. Imagine-a do jeito mais intenso que conseguir. Pense na sensação de força que experimentou. Força na respiração, energia nos braços e nas pernas. Essa mesma força está pulsando hoje em seu coração. Tudo o que sentir será bom. E continue a se abrir à sensação de que é forte, objetivo, determinado. Perceba como é bom se sentir assim. Deixe a força penetrar em você. (Se quiser, relembre outros momentos em que se sentiu forte.)

Agora, ainda se sentindo forte, pense em uma pessoa (ou grupo de pessoas) com quem pode contar. Torne-a o mais real possível; imagine o rosto, a voz dela. Permita-se ter a sensação de ser apoiado, valorizado, acreditado. Perceba como essa sensação de apoio aumenta a sensação de força. Note como é bom se sentir assim. Deixe a força penetrar em você. (Se quiser, repita isso com outras pessoas que lhe dão apoio.)

Note quaisquer outros sentimentos que se manifestarem também – até mesmo opostos, como fraqueza. Tudo o que vier à tona será normal. Apenas observe, aceite e deixe ir embora. Volte a prestar atenção na sensação de ser forte.

Enfim, mantendo a sensação de força, traga à mente uma situação desafiadora. Firme em sua força, sinta uma imensidão em torno dessa situação difícil.

Grandes intenções

> *Permita que ela seja exatamente o que é enquanto você se mantém centrado e forte. Seja forte, sem ter de agarrar coisa alguma, sem ter de resistir a nada. Todos os problemas atravessam a consciência como nuvens que passam pelo céu. Seja grande, relaxado, tranquilo. Sinta a força na respiração, na consciência, na clareza da mente, na totalidade do corpo, em suas boas intenções.*
>
> *Na vida cotidiana, preste atenção em como é se sentir forte. Perceba como é boa essa sensação. Deixe a força penetrar em seu ser.*

capítulo 6: PONTOS-CHAVE

- É importante minimizar as causas do sofrimento e fortalecer as da felicidade – bem como suas intenções. Quando falamos em intenções, referimo-nos à força empregada para propósitos claros e relevantes, mantidos ao longo do tempo. Nossas intenções operam, na maior parte, fora da consciência.
- Para simplificar, o cérebro evoluiu em quatro níveis, ao longo de um tipo de neuroeixo; esses níveis trabalham juntos para manter a motivação. São eles, de baixo para cima, ao longo do neuroeixo: tronco encefálico, diencéfalo, sistema límbico e córtex.
- Em geral, quanto mais para baixo no neuroeixo uma resposta acontece, mais rápida, intensa e automática ela é. Quanto mais para cima, torna-se mais demorada, menos intensa e mais ponderada. O córtex – o nível mais recente, no que se refere à evolução –, em especial, aumenta a capacidade de se pensar no futuro. Normalmente, quanto mais longe se enxerga, mais sábias são as intenções.
- O neuroeixo tem dois centros operacionais: o córtex cingulado anterior (CCA) e a amígdala cerebelar. A rede do CCA controla a motivação deliberada, centralizada e equilibrada, de cima para bai-

O cérebro de Buda

xo, ao passo que a rede da amígdala lida com a motivação reativa, distribuída e impetuosa, de baixo para cima.

- Essas duas redes estão entrelaçadas. Por exemplo, a rede "lógica" do CCA orienta o fluxo dos sentimentos, e a rede "emocional" da amígdala molda valores e a forma como se vê o mundo.

- Ambas as redes – a cabeça e o coração, por assim dizer – podem dar apoio uma à outra, ficar fora de sincronia ou entrar em total conflito. O ideal é que as intenções se alinhem umas às outras em todos os níveis do neuroeixo, pois é quando são mais poderosas.

- As intenções são uma forma de desejo. O desejo em si não é a origem do sofrimento: o desejo incontrolável é. O segredo é ter intenções salutares sem que estejam presas aos resultados.

- A força interior se manifesta de diversas maneiras, entre elas, por uma perseverança silenciosa. Familiarize-se com a sensação de força no corpo, de modo que consiga evocá-la de novo depois. Estimule deliberadamente sentimentos de força para aprofundar suas reações neurais.

CAPÍTULO 7

Equanimidade

*"A equanimidade é um equilíbrio da mente
perfeito e inabalável."*
Nyanaponika Thera

Imagine que a mente é como uma casa em cujo vestíbulo as pessoas penduram o guarda-chuva molhado antes de entrar na sala. Com *equanimidade*, as reações iniciais – como ir atrás do que deseja, desviar-se de um obstáculo – são retidas no vestíbulo mental para que seu interior permaneça puro, lúcido e tranquilo.

A palavra "equanimidade" tem origem latina e significa basicamente "serenidade de espírito" ou "equilíbrio da mente". Com equanimidade, o que passa pela mente é amplamente retido para que a pessoa permaneça equilibrada e não fique desnorteada. O circuito antigo do cérebro leva você o tempo todo a reagir de um jeito ou de outro – e a equanimidade é o seu interruptor. Ela quebra a cadeia do sofrimento separando as sensações da experiência do mecanismo do desejo incontrolável, neutralizando suas reações a tais sensações.

Uma vez, ao voltar para casa após um retiro de meditação, sentamo--nos para jantar, e logo meus filhos começaram as briguinhas de sempre.

O cérebro de Buda

Normalmente isso teria me aborrecido, mas, por causa da equanimidade que adquirira no retiro, a irritação em minha mente era como um torcedor chato gritando na última fileira da arquibancada de um estádio, bem longe, sem me afetar. Os psicólogos chamam de *características da demanda* as situações em que alguém é realmente solicitado, como a campainha tocar ou alguém estender a mão para um cumprimento. Com equanimidade, as situações têm apenas características, não demandas.

Equanimidade não é apatia nem indiferença: a pessoa está cordialmente engajada com o mundo, mas não perturbada por ele. Diante da ausência de reação, cria-se um grande espaço para compaixão, ternura e alegria pela boa sorte alheia. A mestre budista Kamala Masters, por exemplo, conta a história da descida do rio Ganges de barco durante o amanhecer. À sua esquerda, o sol iluminava torres e templos antigos com um primoroso brilho róseo. À sua direita, piras funerárias queimavam, e os sons dos lamentos subiam com a fumaça. De um lado, beleza; do outro, morte, e a equanimidade abria o coração dela o suficiente para abraçar ambos. Pode-se recorrer a essa mesma equanimidade para manter-se centrado e generoso quando ocorrem situações de grande impacto pessoal, como a morte de uma pessoa querida.

Um pouco de equanimidade

Se quiser, reserve um tempinho agora para provar a sensação de equanimidade. Não será aquela sensação universal que se consegue com as meditações mais profundas, mas lhe proporcionará uma noção da serenidade, clareza e paz desse estado de espírito.

Relaxe. Reserve alguns minutos para estabilizar a mente concentrando-se na sensação de respirar com o abdômen ou o peito ou tocar o lábio superior.

Mantenha-se cada vez mais atento à inconstância das sensações – prazerosas, desagradáveis ou neutras – de sua experiência.

Equanimidade

Sinta uma imparcialidade crescente em relação a qualquer coisa que se manifeste, uma presença tranquila, relaxada e inabalável. Aceite-a e mantenha-se em paz com tudo o que lhe vier à cabeça. Deixe a mente ficar cada vez mais equilibrada, pacata e controlada.

Esteja atento aos sons. Escute sem ser afetado por aquilo que ouviu. Fique consciente das sensações. Sinta sem ser influenciado pelo que sentiu. Preste atenção aos pensamentos. Pense sem se prender àquilo em que pensou.

Perceba como essas sensações de prazer, incômodo e indiferença vêm e vão. Elas estão sempre mudando e não constituem uma base confiável para a felicidade.

Esteja atento aos pensamentos e sentimentos que passam sem se identificar com eles. Ninguém precisa possuí-los.

Mantenha-se ciente dos pensamentos e sentimentos que se manifestam sem reagir a eles. Note um desligamento cada vez maior. Há menos inclinação ao prazer e menos retração pela dor.

No que é prazeroso, há apenas o prazeroso, nenhuma reação. No que é desagradável, somente o desagradável, nenhuma reação. No que é neutro, só o neutro, nada mais. Assim é a mente sem preferências. Fique tranquilo como a consciência, sem reações.

Permaneça como a equanimidade. A cada respiro. Tranquilamente. Acomode-se em camadas cada vez mais profundas de equanimidade. Sentindo-se capaz, note uma sublime liberdade, satisfação e paz.

Se ainda não estiver com os olhos abertos, abra-os. Traga sensações visuais à sua equanimidade. Explore a mente sem predileções por coisa alguma que passar por seu olhar, seja boa, ruim ou indiferente. Movimente um pouco o corpo quando terminar a meditação. Explore a mente sem preferências por sensações corporais, sejam elas agradáveis, incômodas ou neutras.

Com o passar do dia, perceba como é trazer mais equanimidade a pessoas e situações.

O CÉREBRO EQUÂNIME

Quando somos equânimes, não nos prendemos às experiências boas nem às ruins. Em vez disso, criamos um espaço em torno das experiências – um protetor entre nós e as sensações associadas a elas. Esse estado de ser não está baseado no controle pré-frontal padrão das emoções, em que há inibição e comando da atividade límbica. Na verdade, com equanimidade, o sistema límbico pode disparar como bem entender. A questão mais importante da equanimidade não é reduzir ou canalizar essa ativação, mas *simplesmente não reagir a ela*. Esse é um comportamento muito incomum para o cérebro, que é projetado pela evolução para responder a sinais límbicos, em particular a vibrações de sensações prazerosas e desagradáveis. O que poderia acontecer, neurologicamente, para chegar a isso? Vejamos os diferentes aspectos da equanimidade e as partes do cérebro provavelmente envolvidas.

Compreensão e intenção

Com equanimidade, a pessoa enxerga a natureza transitória e imperfeita da experiência, e seu objetivo é permanecer *desencantada* – livre dos encantamentos lançados pelo prazer e pela dor. Nesse sentido um tanto budista da palavra "desencantado", a pessoa não está desapontada ou insatisfeita com a vida – ela simplesmente não é iludida por seus aparentes encantos e sobressaltos nem tirada de seu centro por nenhum deles.

A compreensão e a intenção estão ambas estabelecidas no córtex pré-frontal. A intenção de manter-se equânime depende particularmente da rede do córtex cingulado anterior (CCA) no neuroeixo.

Equanimidade

A notável constância da mente

A equanimidade envolve também permanecer consciente da corrente que passa sem se deixar levar por ela. Isso exige supervisão do cingulado anterior, especialmente nos estágios iniciais de equanimidade. Conforme esta se aprofunda, segundo meditadores, a continuidade do estado de atenção plena ocorre sem esforço, o que, presumivelmente, se relaciona com a atividade reduzida do CCA e a estabilidade auto-organizadora nos substratos neurais da consciência.

Um espaço de trabalho global da consciência

Outro aspecto da equanimidade é um *espaço de trabalho global da consciência* excepcionalmente vasto (Baars 1997), o complemento neural do senso mental de grande amplidão em torno de objetos da consciência. Isso é possibilitado pela estável e extensa sincronização de ondas gama de bilhões de neurônios por grandes áreas do cérebro, disparando juntos, ritmadamente, de trinta a oitenta vezes por segundo. O interessante é que esse padrão atípico de ondas cerebrais é observado em monges tibetanos com muita prática em meditação – e muita equanimidade (Lutz *et al.* 2004).

Como refrear o sistema de reação de estresse

O sistema límbico, o eixo hipotálamo-pituitária-adrenal (HPA) e o sistema nervoso simpático (SNS) reagem uns aos outros de maneira circular. Por exemplo, se ocorre algo assustador, o corpo tende a se ativar (os batimentos cardíacos aceleram, as palmas das mãos ficam suadas); tais mudanças corporais são interpretadas pelo sistema límbico como evidências de uma ameaça, o que desencadeará mais reações de medo, gerando um círculo vicioso. Por meio da ativação do sistema nervoso parassimpático (SNP), evita-se que o sistema de reação de estresse reaja a suas próprias reações. É por essa razão que o treinamento para a equanimidade em ambientes contemplativos envolve bastante relaxamento e tranquilidade.

Os frutos da equanimidade

Com o passar do tempo, a equanimidade alcança uma paz interna profunda, característica determinante da absorção contemplativa (Brahm 2006). Além disso, torna-se cada vez mais entrelaçada com a vida cotidiana, produzindo ótimos benefícios. Se alguém é capaz de quebrar a ligação entre as sensações e o desejo incontrolável – se pode conviver com o que é prazeroso sem correr atrás dele, com o desagradável sem resistir a ele e com o neutro sem ignorá-lo –, é sinal de que quebrou a cadeia do sofrimento, pelo menos por um tempo. E isso é não só uma bênção como uma liberdade fantástica.

> *"Com equanimidade, você lida com as situações com calma e bom-senso, ao mesmo tempo em que mantém a felicidade interior."*
> Dalai Lama

PARA DESENVOLVER OS FATORES DA EQUANIMIDADE

Embora a equanimidade total seja um estado incomum tanto para a mente quanto para o cérebro, é possível ter uma noção básica dela no dia a dia e desenvolvê-la com a prática. Os fatores neurais subjacentes que exploramos sugerem diversas maneiras de estimular esse processo.

Equanimidade

Compreensão

Reconheça a natureza fugaz das recompensas e que elas geralmente não são tão incríveis como parecem. Perceba também que as experiências dolorosas são passageiras e nem sempre tão terríveis. Nem o prazer nem a dor merecem sua reivindicação ou identificação. Além disso, pense em como cada acontecimento é determinado por inúmeros fatores preceden-tes, de modo que as coisas não pode-riam ser diferentes. Isso não é fatalismo ou descrença: é possível tomar uma atitude para tornar o *futuro* diferente. Mas, mesmo assim, lembre-se de que a maioria das coisas que conformam o futuro está fora de seu alcance. Embora

> *"Faço de mim um homem rico tornando poucas as minhas vontades."*
> Henry David Thoreau

você faça tudo direitinho, ainda assim o vidro vai quebrar, o projeto não sai-rá do papel, você vai pegar aquela gripe ou um amigo continuará chateado.

Intenção

Continue se lembrando das importantes razões para praticar a equanimi-dade: livrar-se do desejo incontrolável e do sofrimento que ele traz consigo.

Pense constantemente em sua intenção de estar consciente das sensa-ções, de criar um espaço ao redor delas e de permitir que sejam o que forem sem reagir a elas. Para manter isso sempre em mente, grude um papelzinho com a palavra "equanimidade" perto do computador ou do telefone ou então use uma imagem de uma paisagem bela e tranquila.

Estabilidade da mente

Nos capítulos 11 e 12, exploraremos diversas formas de cultivar uma presença mental cada vez mais equilibrada. À medida que isso acontecer com você, preste atenção nas sensações neutras. Estímulos que evocam sensações prazerosas ou desagradáveis incitam maior atividade cerebral que os neutros, pois há mais a refletir e a que reagir. Como o cérebro não se mantém naturalmente envolvido com estímulos neutros, é preciso fazer um esforço consciente para permanecer atento a eles. Ao sensibilizar-se com os aspectos neutros da experiência, a mente fica mais à vontade com eles e menos propensa a procurar recompensas ou ameaças. Em tempo: o tom neutro pode se tornar, como diz minha mestre Christina Feldman, uma "entrada para a ausência de incidentes", isto é, uma porta para a tranquilidade do campo da existência, que nunca se altera.

Consciência ampla

Imagine tudo o que está em sua mente, para lá e para cá, num amplo espaço aberto de consciência, como estrelas cadentes. As sensações da experiência não passam de mais elementos atravessando esse espaço. Um espaço ilimitado os circunda – minimizando-os, não se deixando perturbar por eles, não sendo afetado por sua passagem. O espaço da consciência permite que cada elemento da mente seja ou não seja, chegue ou vá embora. Pensamentos são só pensamentos; sons, apenas sons; situações, somente situações; e as pessoas estão simplesmente sendo elas mesmas. Conforme disse Ajahn Sumedho em uma palestra no mosteiro de Chithurst, na Inglaterra, "confie na consciência, em estar acordado, em vez de em condições passageiras e instáveis" (2006).

Tranquilidade

Trata-se de não agir com base na sensação. Uma pessoa não vai automaticamente atrás de algo só porque dá prazer. Nas palavras do Terceiro Patriarca Zen, "o Grande Caminho não é difícil para aqueles

Equanimidade

que não têm preferências" (Kornfield 1996, 143). Reserve um período do dia – mesmo que só um minuto – para, conscientemente, livrar-se de inclinações contra ou a favor de alguma coisa. Depois, faça isso em períodos maiores. Suas ações serão guiadas cada vez mais por seus valores e virtudes, e não por desejos que não passam de reações a sensações positivas ou negativas.

A tranquilidade envolve a ativação parassimpática, que você aprendeu a estimular no capítulo 5. Faça uma lista de situações que desencadeiem em você, com muita força, ganância ou ódio (em seu sentido mais amplo), das mais fracas para as mais intensas. Então, começando pelas situações mais simples, e progredindo na lista, concentre-se em conferir maior tranquilidade a elas usando algumas abordagens do capítulo 5, como fazer expirações prolongadas, conscientizar-se do medo ou refugiar-se.

A paz interior, sem dúvida, pode ser mantida em circunstâncias difíceis. Aqui estão dois exemplos bastante diferentes, mas com aspectos comuns de equanimidade:

Pense em Joe Montana jogando futebol americano, guiando seu time para o campo adversário, enquanto os brutamontes da outra equipe se lançam sobre ele para prensá-lo no chão. Seus companheiros diziam que, quanto mais louco e perigoso era o jogo, mais calmo Joe ficava.

E pense em Ramana Maharshi, o grande santo indiano, morto em 1950. No fim da vida, ele desenvolveu um câncer no braço. Apesar da dor, manteve-se sereno e amoroso até os últimos dias. Certa vez, ele olhou para baixo com um belo sorriso e disse com simplicidade: "Pobre braço".

O budismo tem uma metáfora para cada situação da vida. São os Oito Ventos Mundanos: prazer e dor, elogio e repreensão, ganho e perda, e boa e má reputação. À medida que desenvolvemos maior equanimidade, esses ventos passam a ter menos influência sobre a mente. A felicidade vai se tornando mais incondicional, independentemente de a brisa ser boa ou ruim.

capítulo 7: PONTOS-CHAVE

- Equanimidade significa não reagir às suas reações, quaisquer que sejam elas.
- A equanimidade cria um escudo ao redor das sensações da experiência para que a pessoa não reaja a elas com um desejo incontrolável. É como um interruptor que bloqueia a sequência normal na mente que vai da sensação ao desejo incontrolável, ao apego e ao sofrimento.
- Equanimidade não é frieza, indiferença ou apatia. A pessoa está presente no mundo, mas não é perturbada por ele. A amplidão da equanimidade é um grande estímulo à compaixão, à bondade e à alegria pela felicidade alheia.
- Na vida cotidiana e na meditação, aprofunde sua equanimidade tornando-se cada vez mais consciente das sensações da experiência e desencantado delas. Elas vêm e vão e não valem sua perseguição nem sua resistência.
- A equanimidade é um estado cerebral raro. Não se baseia na inibição pré-frontal do sistema límbico. Na verdade, consiste na não reação a ele. Isso provavelmente leva a quatro estados neurais: ativação do córtex pré-frontal e do cingulado anterior (CCA) para gerar compreensão e intenção; estabilidade da mente, conduzida inicialmente pela supervisão do CCA, mas depois auto-organizada; rápida entrada de ondas gama de grandes áreas do cérebro para criar a experiência mental de grande amplidão; e ativação parassimpática para suprimir reações sequenciais do límbico/SNS/HPA que fariam o sistema de resposta de estresse reagir a suas próprias reações num círculo vicioso.
- Você pode fortalecer os fatores neurais de equanimidade com os métodos resumidos neste capítulo e discutidos mais detalhadamente ao longo do livro. À medida que fizer isso, sua felicidade se tornará cada vez mais incondicional e inabalável.

Parte III

Amor

CAPÍTULO 8

Dois lobos no coração

"Todos os seres sensíveis se desenvolveram pela seleção natural de maneira que as sensações agradáveis lhes servissem de guia, especialmente o prazer gerado pela sociabilidade e pelo amor familiar."
Charles Darwin

Certa vez, ouvi uma história sobre uma índia anciã americana, a quem se perguntou como havia se tornado tão sábia, feliz e respeitada. Ela respondeu: "Em meu coração, vivem dois lobos: um lobo do amor e outro do ódio. Tudo depende de qual deles eu alimento a cada dia".

Essa lenda me dá certo arrepio. É, ao mesmo tempo, despretensiosa e esperançosa. Primeiro, o lobo do amor é muito estimado, mas quem de nós também não possui um lobo do ódio dentro de si? Ele está presente tanto em guerras distantes quanto ao nosso redor, na ira e na agressividade que dirigimos até mesmo a quem amamos. Segundo, a história sugere que todas as pessoas são capazes — com base em ações cotidianas — de estimular e fortalecer a empatia, a compaixão e a bondade e também de dominar a hostilidade, o desprezo e a agressividade.

O que são esses lobos e de onde vêm? E o que devemos fazer para alimentar o lobo do amor e matar o do ódio? Este capítulo trata da primeira pergunta; os próximos dois exploram a segunda.

A EVOLUÇÃO DO RELACIONAMENTO

Embora o lobo do ódio renda mais manchetes, o do amor tem sido cuidadosamente educado pela evolução para ser mais forte – e mais fundamental para sua natureza mais profunda. No longo caminho desde as minúsculas esponjas dos mares primitivos até a humanidade de hoje, relacionar-se bem com outros membros da espécie tem sido de grande ajuda para a sobrevivência. Durante a jornada dos últimos 150 milhões de anos da evolução animal, as vantagens das habilidades sociais foram provavelmente o fator mais influente no desenvolvimento do cérebro. Houve três avanços da maior importância, e você se beneficia deles todos os dias.

Vertebrados

Os primeiros sinapsidas viveram há cerca de 180 milhões de anos; 30 milhões de anos depois, vieram as primeiras aves (essas datas são aproximadas devido a incertezas nos registros fósseis). Os mamíferos e as aves encararam desafios de sobrevivência semelhantes aos que os répteis e os peixes enfrentaram – hábitat hostil e predadores ferozes. Contudo, proporcionalmente ao peso corporal, os mamíferos e as aves têm cérebro maior. Por quê?

Os répteis e os peixes geralmente não criam seus filhotes – na verdade, às vezes, até os comem! – e é típico viverem sem um parceiro. Já os mamíferos e as aves criam seus filhotes e, em muitos casos, formam casais, alguns para a vida toda.

Dois lobos no coração

Usando a linguagem fria da neurociência evolucionária, as "exigências computacionais" de selecionar um bom par, compartilhar os alimentos e cuidar dos filhotes demandaram maior processamento neural em mamíferos e aves (Dunbar e Shultz 2007). Um esquilo ou um pardal têm de ser mais espertos que um lagarto ou um tubarão: mais capazes de planejar, comunicar-se, cooperar e negociar. Essas são as habilidades corretas que os casais humanos descobrem ser essenciais ao se tornar pais, sobretudo se quiserem permanecer unidos.

Primatas

O próximo passo significativo na evolução do cérebro ocorreu com os primeiros primatas que surgiram, mais ou menos 80 milhões de anos atrás. Sua característica determinante era e é a grande capacidade de socializar-se. Os macacos, por exemplo, passam até um sexto de seu dia catando piolhos em outros membros do bando. Curiosamente, em uma espécie estudada – os macacos-de-gibraltar –, os que ficavam catando liberavam mais estresse do que os que tinham os pelos escarafunchados (Schutt *et al.* 2007). (Tentei usar esse argumento para conseguir mais cafuné de minha esposa, mas até agora não deu certo.) O fator evolucionário preponderante é que, tanto para os primatas machos quanto para as fêmeas, o sucesso social – que reflete a capacidade de relacionamento – gera mais descendentes (Silk 2007).

Na verdade, quanto mais sociável é uma espécie primata – avaliada por fatores como tamanho da prole, quantidade de parceiros que ficam se afagando e complexidade hierárquica –, maior é o córtex em comparação com o restante do cérebro (Dunbar e Shultz 2007; Sapolsky 2006). Relacionamentos mais complexos requerem cérebros mais complexos.

Além disso, apenas os grandes macacos – a família mais moderna de primatas, que inclui os chimpanzés, os gorilas, os orangotangos e o homem – desenvolveram *células fusiformes*, um tipo singular de neurônio que sustenta aptidões sociais avançadas (Allman *et al.* 2001; Nimchinsky *et al.* 1999). Grandes macacos, por exemplo, costumam consolar membros do bando que estão chateados, embora esse tipo de comportamento seja raro entre outros primatas (de Waal 2006). Assim como nós, os chimpanzés riem e choram (Bard 2006).

As células fusiformes são encontradas somente no córtex cingulado e na ínsula, o que indica que essas regiões – e suas funções de empatia e autoconsciência – passaram por pressão evolutiva intensa nos últimos milhões de anos (Allman *et al.* 2001; Nimchinsky *et al.* 1999). Em outras palavras, os benefícios dos relacionamentos ajudaram a orientar a evolução recente do cérebro dos primatas.

O homem

Por volta de 2,6 milhões de anos atrás, nossos ancestrais hominídeos começaram a fazer utensílios de pedra (Semaw *et al.* 1997). Desde então, o cérebro triplicou de tamanho, mesmo usando cerca de dez vezes mais recursos metabólicos do que a quantidade equivalente de músculo (Dunbar e Shultz 2007). Esse aumento desafiou o corpo feminino a também evoluir, com a finalidade de possibilitar que bebês com cérebro maior saíssem pelo canal vaginal (Simpson *et al.* 2008). Dados seus custos biológicos, esse rápido crescimento deve ter conferido muitos benefícios à sobrevivência – e muito do que foi adicionado é usado para processamentos sociais, emocionais, linguísticos e conceituais (Balter 2007). O homem, por exemplo, tem muito mais neurônios fusiformes do que os macacos de grande porte; eles criam um tipo de via expressa de informação que sai do córtex cingulado e da ínsula – duas regiões cruciais para a inteligência social e emocional – para outras partes do cérebro (Allman *et al.* 2001). Embora um chimpanzé adulto se saia melhor que uma criança de dois anos no processo de descoberta do mundo físico, esse pequeno ser humano já é muito mais sabido no que se refere a relacionamentos (Herrmann *et al.* 2007).

Dois lobos no coração

Esse processo de evolução neural pode parecer árido e remoto, mas ele se esgotou de diversas maneiras nas lutas diárias de vida e morte por parte de seres como nós. Por muito tempo, até o advento da agricultura, há cerca de dez mil anos, nossos ancestrais viveram em grupos de caça e coleta, em geral, com menos de 150 membros (Norenzayan e Shariff 2008). Eles se desenvolveram principalmente no próprio bando, enquanto saíam em busca de comida, evitavam predadores e competiam com outros bandos por recursos escassos. Nesse meio hostil, os indivíduos que cooperavam com outros integrantes do grupo viviam mais e deixavam mais descendentes (Wilson 1999). Além disso, bandos que trabalhavam melhor em equipe superavam os outros na obtenção de recursos, na sobrevivência e na transmissão de genes (Nowak 2006).

Até mesmo pequenas vantagens reprodutivas em uma única geração acumulam-se significativamente com o passar do tempo (Bowles 2006). Ao longo de cem mil gerações desde o surgimento das primeiras ferramentas, aqueles genes que promoveram aptidões de relacionamento e tendências cooperativas imprimiram seus traços na constituição genética da população humana. Os resultados podem ser vistos hoje nas bases neurais de muitas características essenciais da natureza humana, incluindo altruísmo (Bowles 2006; Judson 2007), generosidade (Harbaugh, Mayr e Burghart 2007; Moll *et al.* 2006; Rilling *et al.* 2002), preocupação com a reputação (Bateson, Nettle e Robert 2006), justiça (de Quervain *et al.* 2004; Singer *et al.* 2006), linguagem (Cheney e Seyfarth 2008), perdão (Nowak 2006) e moralidade e religião (Norenzayan e Shariff 2008).

CIRCUITOS DE EMPATIA

Poderosos processos evolutivos configuraram o sistema nervoso para produzir as aptidões e inclinações que promovem relacionamentos cooperativos, alimentando um grande e amável lobo no coração. Construindo-se sobre essa sociabilidade geral, as redes neurais relacionadas estimulam a *empatia*, a capacidade de sentir o estado interior de outra pessoa, necessária em qualquer tipo de intimidade verdadeira. Quando não há empatia, seguimos a vida como formigas e abelhas, esbarrando em outras pessoas, mas fundamentalmente sozinhos.

O ser humano é, de longe, a espécie mais empática do planeta. Nossas notáveis habilidades dependem de três sistemas neurais que simulam ações, emoções e pensamentos de outra pessoa.

Ações

Redes nos sistemas perceptivo-motores do cérebro são acionadas quando uma pessoa realiza uma ação e quando vê alguém desempenhando a mesma ação, o que dá a você uma sensação igual a que essa pessoa está tendo no corpo (Oberman e Ramachandran 2007). De fato, essas redes espelham o comportamento dos outros, daí o termo *neurônio espelho*.

Emoções

A ínsula e os circuitos relacionados são ativados quando você passa por emoções fortes como medo ou raiva e quando você vê outras pessoas sentindo essas mesmas emoções, principalmente se forem pessoas queridas. Quanto mais consciência você tem de seus estados emocionais e corporais, mais sua ínsula e o córtex cingulado anterior (CCA) são ativados – e melhor é sua capacidade de reconhecer o estado de outras pessoas (Singer *et al.* 2004). Na verdade, as redes límbicas que produzem seus sentimentos também apreendem os sentimentos alheios. Como resultado, deficiências na expressão de emoções – como em quem sofreu um AVC – muitas vezes também afetam o reconhecimento das emoções em outras pessoas (Niedenthal 2007).

Pensamentos

Os psicólogos empregam o termo *teoria da mente* (TdM) para se referir à capacidade de imaginar os processos internos de alguém. A TdM envolve estruturas pré-frontais e lobo-temporais que são bem recentes no processo evolutivo (Gallagher e Frith 2003). As habilidades da TdM surgem durante o terceiro ou o quarto ano de vida e não se desenvolvem totalmente até a completa *mielinização* – o isolamento dos axônios que acelera os sinais neurais ao longo deles – do córtex pré-frontal no fim da adolescência ou até vinte e poucos anos (Singer 2006).

Esses três sistemas – rastreando as ações, emoções e pensamentos de outras pessoas – ajudam-se mutuamente. Por exemplo, a ressonância sensório-motora e límbica com as ações e emoções alheias lhe dá muitos dados para o processamento característico da teoria da mente. Então, uma vez que você forma uma suposição baseada em fatos – geralmente em apenas alguns segundos –, experimenta-a no corpo e nos sentimentos. Trabalhando juntos, esses sistemas o ajudam a compreender, de dentro para fora, como é ser outra pessoa. No próximo capítulo, ensinaremos diversas maneiras de fortalecê-los.

AMOR E VÍNCULO

À medida que o cérebro humano evoluiu e aumentou de tamanho, o período da infância passou a durar mais (Coward 2008). Consequentemente, os bandos hominídeos foram obrigados a desenvolver maneiras de manter seus integrantes unidos por muitos anos, pois, segundo o provérbio africano, tinham de preservar "uma aldeia inteira para educar uma criança" e, então, passar adiante os genes do bando (Gibbons 2008). Para isso, o cérebro adquiriu circuitos elétricos e neuroquímicos poderosos para gerar e manter o amor e o vínculo.

Esse é o fundamento físico sobre o qual a mente construiu suas experiências de romance, angústia e afeto profundo, bem como seus laços com os familiares. Obviamente, o amor vai muito além do cérebro: a cultura, o sexo e a psicologia pessoal também têm grande influência. No entanto, muitas pesquisas em neuropsicologia do desenvolvimento trouxeram esclarecimentos sobre por que o amor pode tomar rumos tão errados – e como endireitá-los.

Amar é bom

O amor romântico está presente em quase todas as culturas humanas, o que nos leva a concluir que está enraizado em nossa natureza biológica – e também bioquímica (Jankowiak e Fischer 1992). Embora as endorfinas e a vasopressina estejam envolvidas na neuroquímica da união e do amor, o papel mais determinante é exercido provavelmente pela oxitocina (Young e Wang 2004). Esse neuromodulador (e hormônio) produz sentimentos de afeto e carinho, e está presente em mulheres e homens, mas em maior quantidade nas primeiras. A oxitocina estimula o contato "olhos nos olhos" (Guastella, Mitchell e Dads 2008); aumenta a confiança (Kosfeld *et al.* 2005); suprime a excitação da amígdala cerebelar e promove comportamentos de aproximação (Petrovic *et al.* 2008); e deixa as mulheres mais propensas a comportamentos que envolvem cuidado e proteção, como defender a prole, em situações de estresse (Taylor *et al.* 2000) – tal reação também é conhecida pelo termo em inglês *tend-and-befriend*.

Redes neurais distintas lidam com paixões fugazes e relacionamentos de longo prazo (Fisher, Aron e Brown 2006). Em seus estágios iniciais, é normal que um relacionamento romântico seja dominado por recompensas intensas, muitas vezes inconstantes, que usam expressivamente redes neurais envolvidas com a dopamina (Aron *et al.* 2005). Mais adiante, o relacionamento segue gradualmente para realizações mais estáveis que contam com a oxitocina e os sistemas relacionados.

Dois lobos no coração

Mesmo assim, entre casais juntos há muito tempo e que ainda estão profundamente apaixonados, pequenas cutucadas contínuas de dopamina mantêm estimulados os centros de prazer do cérebro de cada um dos parceiros (Schechner 2008).

Perder um amor dói muito

Além de buscar o prazer do amor, tentamos evitar o sofrimento de terminá-lo. Quando há um rompimento, parte do sistema límbico das pessoas envolvidas é acionada – a mesma parte que é ativada quando são feitos investimentos de alto risco que podem acabar muito mal (Fisher, Aron e Brown 2006). A dor física e a dor social têm como base sistemas neurais sobrepostos (Eisenberger e Lieberman 2004): pode-se dizer, literalmente, que a rejeição dói.

Filhos e vínculos

Quando associados com outras influências – como psicológicas, culturais e circunstanciais –, esses fatores neurobiológicos frequentemente resultam, compreensivelmente, em bebês. Nesse caso, também, a oxitocina incentiva a criação de laços, sobretudo na mãe.

As crianças evoluíram para ser amadas; e os pais, para amar, uma vez que ligações fortes favorecem a sobrevivência na natureza. O sistema de apego conta com diversas redes neurais – que lidam com empatia, autoconsciência, atenção, controle de emoções e motivação – para tecer fortes ligações entre a criança e os pais (Siegel 2001). As experiências recorrentes que uma criança pequena tem com seus cuidadores passam por essas redes neurais, moldando-as e, portanto, configurando a maneira como a criança se relaciona com os outros e se sente em relação a si. Espera-se que dê tudo certo – mas essas experiências ocorrem numa idade em que as crianças estão mais vulneráveis; e seus pais, geralmente mais estressados e exaustos (Hanson, Hanson e Pollycove 2002), o que cria desafios internos. O relacionamento humano entre pais e filhos é singular no reino animal, e tem um poder particular de determinar como cada um de nós busca e expressa o amor quando adulto; no próximo capítulo, aprenderemos a lidar com as formas como você pode ter sido afetado.

O LOBO DO ÓDIO

Nosso passado evolutivo exclusivo nos tornou incrivelmente cooperativos, empáticos e amorosos. Então, por que a história do homem é tão cheia de egoísmo, crueldade e violência?

Fatores econômicos e culturais sem dúvida têm um papel nisso. Contudo, passando por diversos tipos de sociedade – caçadora-coletora, agrária e industrial; comunista e capitalista; oriental e ocidental –, na maior parte dos casos, a história é basicamente a mesma: lealdade e proteção para "nós" e medo e agressividade em relação aos "outros". Já vimos como essa postura em relação a "nós" faz parte de nossa natureza. Agora vamos analisar como o medo e a agressividade se desenvolvem contra os "outros".

Odioso e brutal

Por milhões de anos, nossos ancestrais foram expostos à fome, a predadores e a doenças. Para piorar, as oscilações climáticas trouxeram períodos terríveis de seca e eras do gelo, intensificando a competição por recursos escassos. De modo geral, essas condições adversas mantiveram as populações hominídeas e humanas essencialmente niveladas, a despeito de aumentos potenciais de 2 por cento ao ano (Bowles 2006).

Dois lobos no coração

Em meios hostis como aqueles, era vantajoso para nossos ancestrais, do ponto de vista reprodutivo, ser cooperativo dentro do próprio grupo, mas agressivo em relação a outros (Choi e Bowles 2007). A cooperação e a agressividade evoluíram de maneira sinérgica: bandos com maior cooperação entre seus membros obtinham melhor resultado quanto à agressividade, e a agressividade entre bandos demandava cooperação dentro dos bandos (Bowles 2009).

Assim como a cooperação e o amor, a agressividade e o ódio também envolvem diversos sistemas neurológicos. Veja a seguir.

- Na maior parte dos casos, a agressividade é uma resposta à sensação de ameaça, que inclui até mesmo sentimentos sutis de inquietação ou ansiedade. Pelo fato de a amígdala ser *preparada* para registrar ameaças e ser cada vez mais sensibilizada por aquilo que "concebe", muitas pessoas se sentem cada vez mais ameaçadas com o passar do tempo. E, portanto, mais agressivas.
- Quando o sistema SNS/HPA é ativado, se você escolhe lutar em vez de fugir, o fluxo sanguíneo aumenta nos músculos de seus braços para bater, ocorre a *piloereção*, quando os pelos ficam eriçados, levando-o a ficar mais ameaçador em relação a um possível agressor ou predador, e o hipotálamo pode – em caso extremo – desencadear reações de raiva.
- A agressividade está relacionada com a alta taxa de testosterona – tanto em homens quanto em mulheres – e à baixa serotonina.
- Sistemas de linguagem nos lobos temporal e frontal esquerdo trabalham com processamentos visuais-espaciais no hemisfério direito para classificar os outros como amigos ou inimigos, pessoas ou coisas sem importância.
- A agressividade "hostil" – em que há grande ativação do SNS/HPA – frequentemente domina a regulação pré-frontal das emoções. A agressividade "instrumental" envolve pouca ativação do SNS/HPA e usa prolongada atividade pré-frontal.

O resultado dessa dinâmica neural nós conhecemos muito bem: cuide bem dos "seus" e tema, despreze e ataque os "outros". Pesquisas revelam que a maioria dos bandos modernos que caçavam e colhiam – que oferecem fortes indícios dos meios sociais onde nossos antepassados se desenvolveram – mantinha-se em constante conflito com outros grupos. Essas lutas, ao mesmo tempo em que não tinham o impacto e o terror das guerras atuais, eram, na verdade, muito mais letais. Um a cada oito homens morria em conflito, contra um a cada cem nas guerras do século xx (Bowles 2006; Keeley 1997).

O cérebro ainda possui essas habilidades e tendências. E está a serviço nas rodinhas formadas no pátio da escola, na política da empresa e na violência doméstica. (A competição saudável, a assertividade e a defesa veemente de alguém ou de uma causa importante diferem muito da agressividade hostil.) Numa escala maior, nossas tendências agressivas abastecem o preconceito, a opressão, a limpeza étnica e a guerra. Muitas vezes, essas inclinações são manipuladas, como na demonização dos "outros" na clássica justificativa para o controle autoritário. Porém, essas manipulações não seriam nem de perto tão bem-sucedidas se não fosse pelo legado da agressividade entre grupos em nossa história evolutiva.

O que ficou de fora?

O lobo do amor enxerga um vasto horizonte, com todos os seres fazendo parte do círculo "nós". Esse círculo encolhe para o lobo do ódio, de modo que apenas seu país, sua tribo, seus amigos ou familiares – ou em caso extremo somente ele mesmo – são considerados "nós", cercados por multidões ameaçadoras de "outros". Na verdade, às vezes o círculo fica tão pequeno que uma parte da mente tem ódio da outra parte. Por exemplo, já tive pacientes que não conseguiam se olhar no espelho porque se achavam muito feios.

Dois lobos no coração

Existe um ditado zen segundo o qual nada fica de fora da consciência, nada fica de fora da experiência, nada fica de fora do coração. Conforme o círculo diminui, surge naturalmente a questão: o que é deixado de fora? As pessoas do outro lado do mundo, seguidoras de outra religião, ou os vizinhos de cujas opiniões políticas a pessoa discorda? Ou parentes complicados, ou velhos amigos que a magoaram? Poderia ser qualquer um que seja considerado inferior ou que seja usado apenas como um meio para determinado fim.

Assim que alguém exclui uma pessoa do círculo do "nós", a mente/cérebro automaticamente começa a desvalorizá-la e a justificar o tratamento inadequado de sua parte (Efferson, Lalive e Feh 2008). Isso deixa o lobo do ódio agitado e em movimento, a uma pequena distância da agressão ágil. Pense em quantas vezes por dia alguém fica de fora do círculo, sobretudo de maneira sutil: "Ele não é da minha classe social", "Não é meu tipo" e assim por diante. Note o que acontece em sua mente quando você se livra conscientemente dessa distinção e, em vez disso, se concentra no que existe em comum entre você e outro, o que os torna "nós".

Ironicamente, uma resposta para "O que ficou de fora?" é o lobo do ódio em si, que costuma ser renegado ou subestimado. Por exemplo, não fico à vontade ao admitir que me sinto bem quando o mocinho mata o bandido em um filme. Querendo ou não, o lobo do ódio está vivo e bem dentro de cada um de nós. É fácil ouvir a notícia de um assassinato horrível em outro estado ou de um ato de terrorismo e tortura do outro lado do mundo – ou mesmo de formas mais amenas de maus-tratos contra pessoas conhecidas – e balançar a cabeça, pensando: "O que há de errado com essas pessoas?" Só que essas pessoas, na verdade, somos *nós*. Todos nós temos o mesmo DNA básico. Não reconhecer a agressividade como parte de nossas características genéticas constitui certa ignorância – que é a raiz do sofrimento. De fato, como vimos há pouco, os intensos conflitos entre grupos auxiliaram a evolução do altruísmo em cada grupo: o lobo do ódio ajudou a dar à luz o lobo do amor.

O cérebro de Buda

O lobo do ódio está profundamente incrustado no passado evolutivo do homem, bem como no cérebro de cada pessoa atualmente, pronto para se manifestar diante de qualquer ameaça. Ser realista e honesto a respeito dele – e de suas origens impessoais, evolutivas – faz surgir a compaixão por si mesmo. Seu lobo do ódio precisa ser amansado, é certo, mas não é culpa sua se ele fica à espreita nas sombras de sua mente, e ele provavelmente o aflige mais do que qualquer pessoa. Além disso, admitir sua existência incita uma prudência muito útil em situações nas quais você se sente maltratado ou agitado (discutir com o vizinho, disciplinar uma criança, reagir a uma crítica no trabalho) –, e o lobo começa a acordar.

Quando você assiste ao noticiário da noite – ou ouve as crianças brigando –, às vezes tem a impressão de que o lobo do ódio dominou a existência humana. Da mesma forma como a súbita excitação do SNS/HPA se destaca contra um pano de fundo de ativação parassimpática em repouso, nuvens negras de agressividade e conflito chamam mais atenção do que o imenso "céu" de união e amor pelo qual elas passam. Contudo, na verdade, a maioria das interações tem uma qualidade cooperativa. O homem e os outros primatas constantemente reprimem o lobo do ódio e reparam seus danos, retornando a uma linha de relacionamentos razoavelmente positivos entre si (Sapolsky 2006). Na maioria das pessoas, na maior parte do tempo, o lobo do amor é maior e mais forte que o do ódio.

Amor e ódio vivem e se embolam em todo coração, assim como filhotes se engalfinhando em uma gruta. Não dá para matar o lobo do ódio; a aversão contida em tal atitude, na verdade, criaria aquilo que você está tentando destruir. Mas você pode vigiar o lobo com cuidado, mantê-lo preso e limitar seus sobressaltos, seu senso de justiça, descontentamentos, ressentimentos, desprezos e preconceitos. Ao mesmo tempo, alimente e estimule o lobo do amor. Veremos como fazer isso nos dois próximos capítulos.

Dois lobos no coração

capítulo 8: PONTOS-CHAVE

- Todos nós temos dois lobos no coração, o do amor e o do ódio. Tudo depende de qual deles alimentamos diariamente.
- Embora o lobo do ódio chame mais atenção, o do amor é maior e mais forte, e seu desenvolvimento ao longo de milhões de anos tem sido um fator essencial para a evolução do cérebro. Por exemplo, mamíferos e aves têm cérebro maior que répteis e peixes, em grande parte para lidar com relacionamentos com seus pares e sua prole. E, quanto mais sociável a espécie primata, maior o cérebro.
- O cérebro humano triplicou de tamanho nos últimos 3 milhões de anos; muito desse crescimento é destinado a habilidades interpessoais como empatia e planejamento cooperativo. Nas condições hostis enfrentadas por nossos ancestrais, a cooperação favorecia a sobrevivência; assim, fatores que promovem a cooperação foram entremeados em nosso cérebro – como altruísmo, generosidade, preocupação quanto à reputação, justiça, linguagem, perdão, moralidade e religião.
- A empatia depende de três sistemas neurais que simulam ações, emoções e pensamentos alheios.
- À medida que o cérebro aumentava de tamanho, os primeiros homens precisavam de uma infância mais longa para desenvolvê--lo e treiná-lo; e, com isso, nossos ancestrais tinham de encontrar novas maneiras de criar vínculos entre pais, filhos e outros membros do bando, pois é preciso "uma aldeia inteira para educar uma criança". Isso é executado por múltiplas redes neurais, como sistemas de recompensa à base de dopamina e oxitocina e sistemas de punição em que a rejeição social produz ativação de forma semelhante à dor física.
- Ao mesmo tempo, o lobo do ódio também evoluiu. Bandos que caçavam e colhiam alimentos frequentemente travavam lutas altamente letais com outros bandos. A cooperação interna nos

O cérebro de Buda

grupos tornou a agressividade entre grupos mais eficiente, e as recompensas de tal violência – comida, companheiros, sobrevivência – promoviam a cooperação entre os membros do bando. Cooperação e agressividade – amor e ódio – evoluíram juntos de maneira sinérgica. Suas habilidades e tendências permanecem dentro de nós até hoje.

- O lobo do ódio restringe o círculo do "nós", chegando, às vezes, a ponto de caber somente a própria pessoa dentro dele. O cérebro está sempre categorizando "nós" e os "outros", e automaticamente dá preferência aos primeiros e desvaloriza os últimos.

- Ironicamente, o lobo do ódio pode ser deixado de fora do círculo do "nós". Mas não é possível matá-lo, e negar sua existência apenas faz com que ele cresça nas sombras. Precisamos admitir a existência do lobo do ódio e valorizar o poder do lobo do amor – para então dominar um e alimentar o outro.

CAPÍTULO 9

Compaixão e assertividade

"Se pudéssemos ler a história secreta de nossos inimigos,
encontraríamos em cada vida tristeza e sofrimento suficientes
para aplacar qualquer hostilidade."
Henry Wadsworth Longfellow

Fiz parte do conselho de um centro de meditação por nove anos, e muitas vezes fiquei comovido com a maneira como os mestres expressavam seus pontos de vista. Eles se compadeciam com os problemas dos outros. Mas, quando davam sua opinião, falavam de modo claro e forte, sem embaraço ou hesitação. E não interferiam, não se tornavam defensivos nem argumentativos. Essa combinação de franqueza e objetividade era muito poderosa. Cumpri minha missão enquanto nutria o amor no ambiente.

Isso constituía a compaixão e a assertividade trabalhando juntas. São as duas asas que fazem qualquer relacionamento voar. Elas se sustentam mutuamente: a compaixão confere afeto à assertividade, enquanto esta faz com que você se sinta bem ao compadecer-se, desde que saiba que suas necessidades serão atendidas. A compaixão expande o círculo do "nós", enquanto a assertividade protege e ajuda todos os que estão dentro dele. Ambas alimentam o lobo do amor. Neste capítulo, abordaremos maneiras inteligentes de usar e fortalecer suas habilidades inatas para ser compassivo e assertivo, começando pela compaixão.

Para ser realmente compassivo, primeiro é preciso sentir o problema que a outra pessoa está vivendo. Deve-se ter empatia, o que elimina as tendências automáticas do cérebro de criar círculos distintos – "nós" e os "outros". É por aí que começaremos.

EMPATIA

A empatia é a base para qualquer relacionamento significativo. Quando alguém demonstra ter empatia, isso dá a sensação de que seu eu interior realmente existe para aquela pessoa – que, para ela, você tem sentimentos e necessidades. A empatia lhe dá a tranquilidade de saber que a outra pessoa compreende pelo menos um pouco do que se passa em seu íntimo, principalmente suas intenções e emoções. Somos animais sociais, que, segundo Dan Siegel, precisam se sentir *compreendidos* (2007).

Ou, então, digamos que você é quem sinta empatia por alguém. A empatia é respeitosa e tranquilizadora, e geralmente evoca boa vontade como retribuição. Muitas vezes, é tudo o que a outra pessoa espera; se ela ainda precisa conversar sobre algo, você pode abordar o assunto com um clima mais positivo. Além disso, ser empático lhe possibilita muitas informações úteis sobre a outra pessoa, incluindo o que realmente está se passando na cabeça dela e com o que ela se importa. Por exemplo, se ela estiver sendo crítica com você, tente entender seus anseios mais profundos, sobretudo os mais amenos e recentes. Assim, terá uma perspectiva melhor, o que amenizará qualquer frustração ou raiva em relação a ela, que provavelmente perceberá essa mudança e se tornará mais compreensiva.

É bom deixar claro: empatia não é concordância ou aprovação. É possível sentir empatia por alguém que agiria diferentemente de você.

Compaixão e assertividade

Ter empatia *não* significa renunciar àquilo em que você acredita; portanto, não há problema em ser empático.

Na prática espiritual, a empatia se refere a como estamos todos ligados uns aos outros. É conscienciosa e curiosa, e sempre dá o benefício da dúvida, evitando que a pessoa fique presa às próprias opiniões. Empatia é virtude em ação, o controle de padrões reativos com a finalidade de manter-se presente em relação ao outro. Ela evita danos, pois sua ausência é perturbadora e ainda abre caminho para magoar outras pessoas inconscientemente. A empatia possui uma generosidade inerente: você se abre para se emocionar com outra pessoa.

Quando a empatia falha

Apesar de todos os seus benefícios, a empatia some rapidamente durante a maioria dos conflitos e esmorece aos poucos em relacionamentos longos. Infelizmente, a empatia inadequada desgasta a confiança e dificulta a solução de problemas interpessoais. Pense em alguma ocasião em que tenha se sentido incompreendido – ou pior, em uma situação em que a outra pessoa nem tenha tentado entendê-lo. A falta de empatia tem consequências; quanto mais vulnerável a pessoa for e mais alta estiver a expectativa, maior será o impacto. Por exemplo, se não houver empatia suficiente por parte dos pais, a criança se sentirá insegura nos relacionamentos. Em outra escala, a falta de empatia leva à exploração, ao preconceito e a atrocidades terríveis. O lobo do ódio não é dotado de empatia.

Como ser empático

A capacidade natural de ter empatia pode nascer deliberadamente, ser usada com habilidade e fortalecida. A seguir, veja como exercitar os circuitos da empatia no cérebro.

PREPARE O TERRENO

Tenha intenção consciente de ser empático. Por exemplo, quando vejo que minha esposa quer ter uma *daquelas* conversas – ela está infeliz com algo, e o culpado provavelmente sou eu –, espero alguns segundos para me lembrar de ser empático, e não distante, e que é bom ser assim. Essa pequena atitude ativa o córtex pré-frontal para guiar seu comportamento na situação, concentrar-se em suas intenções e instruir redes neurais relacionadas com a empatia, além de ajudar a preparar o sistema límbico para direcionar o cérebro para as recompensas da empatia.

Então, relaxe o corpo e a mente e abra-se à outra pessoa quanto achar necessário. Use os métodos da próxima seção para se sentir seguro e forte o suficiente para acolhê-la completamente. Lembre-se: o que quer que esteja na mente dela, está logo *ali*, e você está logo *aqui*, junto com a pessoa, mas separado do fluxo de pensamentos e sentimentos dela.

Continue atento à outra pessoa, esteja *com* ela. Esse tipo de atenção prolongada é raro, mas muito apreciado por quem recebe. Estabeleça na mente um pequeno guardião que fique observando a continuidade de sua atenção; isso estimulará o córtex cingulado anterior (CCA), que presta atenção à atenção. (Discutiremos mais sobre esse guardião no capítulo 12.) De certa maneira, a empatia é um tipo de meditação consciente direcionada ao mundo interior de alguém.

PERCEBA O COMPORTAMENTO ALHEIO

Note os movimentos, a postura, os gestos e as ações de outra pessoa. (A ideia é energizar as funções de espelhamento perceptivo-motor de seu cérebro, e não analisar sua linguagem corporal.) Imagine fazer isso consigo mesmo. Qual seria a sensação, em seu próprio corpo? Se não for inadequado, compare discretamente alguns movimentos dela com os seus e veja como se sente.

SINTA OS SENTIMENTOS ALHEIOS

Entre em harmonia com você mesmo. Sinta sua respiração, seu corpo, suas emoções. Como já vimos, isso estimula a ínsula e a prepara para captar os sentimentos internos dos outros.

Observe de perto o rosto e os olhos da outra pessoa. Nossas emoções mais internas são reveladas por meio de expressões faciais universais (Ekman 2007). Elas duram muito pouco, mas, se você estiver atento, será capaz de percebê-las. Esse é o fundamento biológico para o velho ditado de que os olhos são as janelas da alma.

Relaxe. Deixe o corpo aberto para sentir as emoções do outro.

SIGA AS PISTAS DOS PENSAMENTOS ALHEIOS

Imagine o que a outra pessoa está pensando e querendo. Pense no que poderia estar acontecendo sob a superfície e nas coisas que se movimentam em diferentes direções dentro dela. Considere o que você sabe e o que seria capaz de adivinhar sobre ela, como sua história de vida, infância, temperamento, personalidade, questões polêmicas, acontecimentos recentes e o tipo de relacionamento que tem com você. Qual seria o resultado disso? Leve em consideração também a experiência que você já teve ao sintonizar-se com as ações e emoções dela. Faça-se perguntas do tipo: *O que será que ela está sentindo lá no fundo? O que deve ser mais importante para ela? O que ela quer de mim?* Tenha respeito e não tire conclusões precipitadas; em vez disso, continue com a mentalidade "quem sabe?"

VERIFIQUE SUAS RESPOSTAS

De maneira apropriada, tente sondar a outra pessoa para ver se está no caminho certo. Você poderia dizer: "Você parece um pouco _____, estou certo?", "Não sei, mas tenho a impressão de que

_____", "Acho que você se chateou com _____. Você queria _____?"

Tome cuidado para não fazer perguntas de maneira argumentativa ou acusatória para favorecer seu próprio ponto de vista. E não misture empatia com qualquer desavença que exista entre vocês. Saiba separar empatia daquilo que você tem a dizer e tente deixar clara a transição entre uma coisa e outra. Você pode dizer algo como:

"Entendo que você queria mais atenção de mim quando visitamos meus parentes e que se sentiu deslocada. Desculpe. Não acontecerá de novo. [Pausa.] Mas, sabe o que é, você parecia tão animada conversando com a minha tia que não deu para notar que queria minha atenção. Se tivesse me falado isso naquele momento, teria ficado mais com você – que, aliás, é exatamente o que eu quero."

RECEBA EMPATIA

Quando quiser receber a empatia de alguém, lembre-se de que é mais fácil consegui-la se souber expressar sua vontade. Seja aberto, presente e honesto. A empatia também pode ser solicitada diretamente; pense que algumas pessoas podem não perceber que você dá importância a isso. Não tenha medo de dizer explicitamente. Deixar claro que o que você quer é empatia, e não concordância ou aprovação, também ajuda. Quando notar que a outra pessoa compreendeu o que isso significa para você, pelo menos em parte, permita que essa experiência seja absorvida por sua memória emocional, implícita.

COMO SENTIR-SE BEM COM A INTIMIDADE

A empatia abre as pessoas umas às outras e as aproxima. Então, para ser o mais empático possível, é preciso sentir-se à vontade com os relacionamentos. Contudo, isso nem sempre é fácil. Ao longo de nossa história evolutiva, a proximidade entre as pessoas sempre envolveu muitos riscos. Além disso, a dor psicológica, em sua maior parte, vem de relacionamentos íntimos – em particular aqueles ocorridos na primeira infância, quando as redes da memória são mais facilmente influenciadas; e as reações emocionais, menos controladas pelo córtex pré-frontal. Em geral, é natural ser cauteloso quanto a relacionamentos próximos. As técnicas aumentarão sua confiança ao relacionar-se mais profundamente com alguém.

Concentre-se em sua experiência interior

Aparentemente, há uma rede central na região mediana e inferior do cérebro que evoluiu para integrar inúmeras habilidades sociais e emocionais (Siegel 2007). Essa rede é estimulada por relacionamentos importantes, sobretudo por seus aspectos emocionais. Dependendo de seu temperamento (alguns são mais afetados por relacionamentos do que outros), você pode se sentir inundado pelo volume de informações que passa por essa rede. Para lidar com isso, dê mais atenção à sua experiência do que à do outro (por exemplo, acompanhe sua inspiração e expiração ou o movimento dos dedos dos pés e fique atento às sensações que se manifestam). Perceba como você segue adiante, como se encontra perfeitamente bem, mesmo estando tão próximo emocionalmente. Isso reduz a sensação ameaçadora da proximidade e, em consequência, a vontade de recuar.

Fique atento ao estado de consciência

Preste atenção à consciência em si, diferente da (potencialmente intensa) sensação da outra pessoa contida dentro da consciência; apenas perceba que está atento e explore essa sensação. Tecnicamente, os aspectos da memória de trabalho da consciência parecem estar baseados, em grande parte, em substratos neurais na região *dorsolateral* (superior-externa) do córtex pré-frontal, diferentemente do circuito *ventromedial* (inferior-mediano), que processa o conteúdo social-emocional. Ao concentrar-se no estado de consciência, provavelmente você estará energizando esses circuitos dorsolaterais mais do que seus vizinhos ventromediais.

Recorra a imagens

Pense em imagens, as quais estimulam o hemisfério direito do cérebro. Por exemplo, quando me encontro com alguém que está ficando exaltado, imagino a mim mesmo como uma árvore de raízes profundas, com as atitudes e emoções da outra pessoa soprando e agitando minhas folhas – mas os ventos sempre param de soprar, e minha árvore continua firme. Ou imagino que estamos separados por uma cerca – ou, se for preciso, um espesso muro de vidro. Além dos benefícios causados pelas imagens em si, a ativação do hemisfério direito estimula a noção do todo como sendo maior do que qualquer parte – inclusive aquela parte de sua experiência que se sente desconfortável com a intimidade.

Esteja consciente de seu mundo interior

Seja acompanhado ou sozinho, estar ciente do próprio mundo interior parece ajudar a superar experiências marcantes da infância em que houve carência de empatia (Siegel 2007). No fundo, a atenção consciente à sua própria experiência ativa muitos dos mesmos circuitos que são estimulados na infância pela atenção afetuosa e acolhedora por parte de outras pessoas. Consequentemente, você dá a si mesmo aqui e agora o que deveria ter recebido quando criança; com o tempo, tal interesse e preocupação serão gradualmente incorporados, ajudando-o a se sentir mais seguro quando estiver numa relação mais próxima com alguém.

Compaixão e assertividade

QUE VOCÊ NÃO SOFRA

Você pode cultivar a compaixão deliberadamente, o que vai estimular e fortalecer seu substrato neural subjacente, incluindo o CCA e a ínsula (Lutz, Brefczynski-Lewis *et al.* 2008). Para munir os circuitos neurais de compaixão, traga à tona a sensação de estar com alguém que goste de você, enquanto evoca emoções sinceras como gratidão ou ternura. Depois, desperte empatia pelas dificuldades da outra pessoa. Abrindo-se para a dor (mesmo sutil) do outro, deixe a simpatia e a boa vontade brotarem naturalmente (esses passos andam juntos na prática).

Então, mentalmente, deseje coisas boas, de maneira explícita, como *Que você não sofra. Que encontre a paz. Que tudo dê certo.* Ou, sem recorrer a palavras, manifeste sentimentos e desejos compassivos. Você também pode se concentrar na compaixão universal, não específica – aquela que não é direcionada a nada nem a ninguém em especial –, para que, como diz o monge tibetano Mathieu Ricard, "a benevolência e a compaixão impregnem a mente como uma forma de viver" (Lutz, Brefczynski-Lewis *et al.* 2008, e1897).

Você também pode integrar práticas compassivas à meditação. No início, preste a atenção em frases compassivas. Conforme a meditação se aprofunda, mergulhe na compaixão além das palavras, nessa sensação que enche o coração, o peito, o corpo, de forma cada vez mais penetrante e intensa. Sinta a compaixão irradiar em todas as direções.

Qualquer que seja a circunstância em que sentir compaixão, fique atento à experiência e incorpore-a. Memorizando tal sensação, será mais fácil evocar esse fascinante estado de espírito no futuro.

Todos os dias, tente sentir compaixão por cinco tipos de pessoa: alguém por quem sinta gratidão, um amigo ou uma pessoa que ame, uma pessoa neutra, alguém com quem tenha um relacionamento difícil e... você mesmo. Às vezes, olho para um estranho na rua (alguém neutro), procuro "captar" a pessoa rapidamente e então abro caminho para a compaixão. Esse sentimento também pode ser manifestado em relação a animais e plantas ou grupos de pessoas (crianças, enfermos, partidos políticos). Podemos nos compadecer de *qualquer um.*

Embora seja difícil sentir compaixão por uma pessoa complicada, fazer isso reforça a importante lição de que somos um só em nosso sofrimento. Quando vemos como tudo está conectado e os muitos obstáculos e desafios que impulsionam cada pessoa, a compaixão brota naturalmente. A imagem budista que representa isso é a joia da compaixão repousando sobre a flor de lótus da sabedoria – a união da afetividade com a percepção.

COMO SER ASSERTIVO

Ser assertivo significa expressar sua verdade e ir atrás de seus objetivos no âmago dos relacionamentos. Em minha experiência, a assertividade hábil baseia-se em *virtude unilateral* e *comunicação eficaz.* Vamos entender o que isso quer dizer de fato, seja interagindo com um amigo, colega de trabalho, amante ou parente.

Virtude unilateral

A virtude parece uma qualidade que está além do nosso alcance, mas, na verdade, é algo bem realista. Ela significa simplesmente viver segundo nossa bondade interior, guiada por princípios. Quando somos íntegros, o comportamento das outras pessoas não exerce controle sobre nós, independentemente das atitudes delas. Como terapeuta, vi muitos casais em que cada um diz basicamente a mesma coisa: *Trato você bem assim que você começar a me tratar direito.* Então ficam nesse impasse, pois cada um está deixando o outro determinar seu comportamento.

Entretanto, sendo virtuoso unilateralmente, você se direciona direto para seu próprio egoísmo esclarecido, não importa se o outro está co-

Compaixão e assertividade

operando ou não. É tão bom ser bondoso, gozar da felicidade de ter a consciência tranquila, sem culpa ou arrependimento. Manter-se íntegro estimula a paz interior, amenizando discórdias que, de outra maneira, pesariam em sua mente. Isso aumenta as chances de os outros tratarem você bem. Quando preciso, coloca você num plano moral superior.

> *"Para adquirir a percepção profunda, devemos ter a mente tranquila e maleável. Conseguir tal estado de espírito requer primeiro que desenvolvamos a capacidade de regular nosso corpo e comunicação de modo a não causar conflito."*
> Venerável Tenzin Palmo

Fazer a coisa certa envolve a cabeça e o coração. O córtex pré-frontal ("cabeça") concebe valores, planos e instrui o restante do cérebro. O sistema límbico ("coração") alimenta a força interior que você usa para agir corretamente quando isso não é fácil e sustenta virtudes como coragem, generosidade e capacidade de perdoar. Até mesmo raciocínios morais "complexos" implicam processamento emocional; por isso, pessoas com o sistema límbico comprometido têm muita dificuldade de tomar determinadas decisões éticas (Haidt 2007).

A virtude na mente é amparada pela regulação no cérebro. Ambas consistem em encontrar um equilíbrio em torno de propósitos saudáveis, que respeita limites e se transforma sem percalços, e não de maneira abrupta ou caótica. Para conquistar essa condição de equilíbrio, vamos aplicar a natureza de um equilíbrio saudável para a virtude. E então você vai desenvolver seu próprio "código". Ao longo dessa exploração, ouça sua mente e seu coração para saber o que significaria afirmar-se com honra.

UM EQUILÍBRIO DE VIRTUDE

Primeiro, identifique seus objetivos mais importantes. Quais são seus propósitos e princípios em um relacionamento? Um valor moral funda-

O cérebro de Buda

mental, por exemplo, é não prejudicar as pessoas, inclusive a si mesmo. Se as suas necessidades não estão sendo atendidas numa relação, isso lhe é prejudicial; se você é maldoso ou punitivo, prejudica os outros. Outro objetivo seria continuar em busca da verdade sobre você e a outra pessoa.

Segundo, não extrapole os limites. A Fala Correta do Nobre Caminho Óctuplo do budismo dá boas diretrizes para a comunicação que permanece dentro dos limites: *Diga apenas o que for bem-intencionado, verdadeiro, benéfico, adequado, expresso sem rispidez ou maldade e – de preferência – necessário.* Muitos anos atrás, adotei o preceito de nunca falar ou agir com raiva. No início, devo tê-lo violado de diversas maneiras com irritação, sarcasmo, virando os olhos, torcendo o nariz etc. Mas, com o tempo, ele foi se tornando mais arraigado, além de ser uma prática poderosa. Ao seguir essa norma, você se relaciona com mais tranquilidade e evita deixar as coisas piores do que já estão, jogando lenha na fogueira, o que o leva a sentir-se pior do que a situação em si (como cultivar raiva, preocupação, culpa). Mais tarde, você se sente bem consigo mesmo: manteve o controle e não acrescentou sua própria reatividade a uma situação tensa. É claro que o respeito pelos limites vale para as outras pessoas também. Se alguém viola seus limites – desrespeitando-o ou gritando mesmo depois de você ter pedido para parar, por exemplo –, seu relacionamento é impelido para além dos limites, e pode constar em seu código de conduta a faculdade de não tolerar esse tipo de situação (analisaremos como defender seus pontos de vista em "Comunicação eficaz").

Terceiro, mude com tranquilidade. Em uma série de estudos (1995), o psicólogo John Gottman documentou a importância de "pegar leve" ao tocar em um assunto complicado com outra pessoa. Por experiência própria, digo que é muito melhor fazer isso do que chegar em casa e de cara criticar o parceiro por ter deixado todas as luzes acesas. Atitudes abruptas desencadeiam alarmes no sistema SNS/HPA da outra pessoa, estremecendo o relacionamento. Passos pequenos, mas hábeis, evitam que as coisas aconteçam aos trancos e barrancos – como perguntar se é uma boa hora para conversar antes de prosseguir a todo o vapor, ou não cortar rudemente uma conversa, o que magoaria alguém.

Compaixão e assertividade

CÓDIGO DE CONDUTA PESSOAL

Agora escreva seu código pessoal de virtudes unilaterais de relacionamento. Pode ser um punhado de palavras ou uma lista do que é permitido ou não fazer. Qualquer que seja seu estilo, use uma linguagem que tenha força e o deixe motivado, que faça sentido para a sua mente e toque seu coração. Não precisa ser perfeito para funcionar, e sempre é possível revisá-lo. Ele pode conter afirmações como:

Ouvir mais, falar menos.

Não ameaçar outras pessoas nem gritar com elas, e não deixar que façam isso comigo.

Todos os dias, fazer três perguntas sucessivas a meu (minha) companheiro(a) sobre como estão as coisas.

Chegar todos os dias em casa a tempo de jantar com minha família.

Dizer o que eu preciso.

Ser amoroso.

Cumprir minhas promessas.

Quando terminar, imagine-se agindo conforme seu código de conduta, qualquer que seja a situação. Pense na sensação gostosa e em tudo de bom que isso vai suscitar. Incorpore essa ideia para se sentir motivado a realmente viver segundo seu código. E, quando estiver de fato se comportando assim e as coisas estiverem caminhando bem, absorva isso também.

COMUNICAÇÃO EFICAZ

Muito pode ser dito sobre como se comunicar adequadamente. Como terapeuta e consultor em administração, com mais de trinta anos trabalhando com pessoas – e algumas lições dolorosas como marido e pai –, considero estes os pontos essenciais:

O cérebro de Buda

- Esteja sempre em contato com seus sentimentos e desejos mais profundos. A mente é como um *parfait* gigante, com camadas suaves, infantis e essenciais sob camadas mais sólidas, adultas e superficiais. Com base nesse estado de consciência interior, deixe mais claros seus objetivos ao interagir. Ou seja, você quer apenas ser ouvido? Há algo em particular que deseje garantir que nunca mais aconteça?

- Assuma a responsabilidade de ter suas necessidades atendidas no relacionamento. Concentre-se na recompensa, qualquer que seja ela para você, e lembre-se sempre dela. Se a outra pessoa tem questões importantes também, é melhor alterná-las, lidando com um assunto de cada vez, do que misturar tudo.

- Comunique-se antes de tudo com você mesmo, e não para provocar uma reação específica na outra pessoa. Logicamente, é normal esperar um bom resultado da outra parte. Mas, se você se comunica para consertar, mudar ou convencer o outro, o sucesso de sua comunicação dependerá de como ele reage a você e, portanto, está fora de seu controle. Além disso, é mais provável que a outra pessoa se abra mais se não se sentir pressionada de alguma maneira.

- Guie-se por seu código de conduta pessoal. No fim, você e o outro vão se lembrar não do que foi dito, mas de *como* foi dito. Tenha cuidado com seu tom de voz e evite implicar, exagerar ou se exaltar.

- Ao falar, lembre-se sempre de sua experiência – particularmente suas emoções, sensações físicas, expectativas e desejos ocultos –, em vez de falar sobre coisas que aconteceram, como as atitudes da outra pessoa e suas opiniões a respeito. Sua experiência não pode ser discutida; ela é o que é, e ninguém sabe mais sobre ela do que você. Quando você compartilhar o que viveu, assuma a responsabilidade por isso, não jogue a culpa no outro. Se for apropriado, expresse suas camadas mais profundas, como a esperança do amor que repousa sob o ciúme. Embora essa franqueza seja muitas vezes assustadora, as camadas mais profundas contêm o que há de mais vital a ser conquistado para você e para o outro. A universalidade dessas camadas e sua natureza relativamente

Compaixão e assertividade

amigável também ampliam as chances de a outra pessoa baixar a guarda e ouvir o que você tem a dizer. Recomendo a abordagem de Marshall Rosenberg em *Comunicação não violenta*, que se divide essencialmente em três partes: *Quando X acontece* [descrito de acordo com os fatos, sem julgamentos], *eu sinto Y* [sobretudo as emoções mais profundas e brandas], *porque preciso de Z* [necessidades e desejos fundamentais].

- Tente sentir sua verdade enquanto fala. Isso vai aumentar seu estado de consciência interior e provavelmente tornará mais fácil que a outra pessoa crie empatia por você. Note se há alguma tensão nos olhos, na garganta, na barriga ou no soalho pélvico e procure relaxá--la para que a experiência flua mais livremente por você.
- Use a força da emoção incorporada: adote a postura física de um sentimento ou atitude – que pode não ser sua postura costumeira – para expressá-lo melhor (Niedenthal 2007). Se você tem o hábito de se retrair, por exemplo, experimente inclinar o corpo levemente para a frente enquanto fala; se tende a repelir a tristeza, abrande os olhos; se acha difícil ser assertivo, reposicione os ombros e ponha o peito para a frente.
- Se você acha que pode ser levado pela interação e perder a cabeça, ajude seu córtex pré-frontal a ajudá-lo – uma circularidade interessante! – escolhendo previamente seus pontos-chave, ou mesmo anotando-os num papel. Para manter claros seu tom de voz e suas palavras, imagine que está sendo feito um vídeo de sua interação: aja de tal forma que você não recuaria se assistisse a ele.
- Se estiver resolvendo um problema com alguém, apresente os fatos (se possível). Isso geralmente ameniza as divergências e traz informações úteis. Mas, principalmente, concentre-se no futuro, e não no passado. Muitas desavenças se referem ao que já passou: o que aconteceu, como foi ruim, quem disse o quê, como foi dito, circunstâncias atenuantes, e assim por diante. Em vez disso, tentem entrar num acordo sobre como as coisas serão *daqui para a frente*. Seja o mais claro que puder. Se ajudar, escreva em algum lugar. Tácita ou expli-

citamente, vocês estão estabelecendo acordos mútuos que devem ser levados tão a sério como compromissos no trabalho.

- Considere-se responsável também pelos problemas que a outra pessoa tem com você. Identifique o que há a ser corrigido de sua parte e corrija-o unilateralmente – mesmo que a pessoa fique jogando na sua cara. Uma a uma, vá eliminando suas queixas legítimas. Não há problema em tentar influenciar o comportamento dela, mas o mais importante é ser honesto, bondoso e cada vez mais engenhoso. Apesar de ser o caminho menos utilizado, ele é, ao mesmo tempo, agradável e inteligente. Você não é capaz de controlar como a outra pessoa o trata, mas *é capaz* de decidir como tratá-la: isso está ao seu alcance. E fazer o que é certo independentemente do comportamento dela é uma boa maneira de incentivá-la a tratá-lo bem.

- Dê tempo ao tempo. Depois de semanas ou meses – não anos –, a verdade sobre o outro começa a vir à tona. Por exemplo: ele respeita seus limites? Ele cumprirá o que foi combinado? É capaz de corrigir mal-entendidos? Qual é a capacidade dele de compreender a si mesmo e desenvolver habilidades interpessoais (adequadas para o tipo de relacionamento)? Quais são as verdadeiras intenções dele (reveladas por suas ações com o passar do tempo)?

- Ao enxergarmos a outra pessoa como ela é, às vezes percebemos que o relacionamento precisa mudar para se tornar compatível com aquilo que esperamos. Isso pode seguir dois rumos: um relacionamento que é maior do que sua base de sustentação é uma condição para decepção e mágoa, enquanto um relacionamento que é menor do que aquilo que o sustenta é uma oportunidade perdida. Em ambos os casos, concentre-se em sua iniciativa própria, ainda mais se tiver se esforçado razoavelmente para incentivar mudanças na outra pessoa. Por exemplo, você geralmente não pode fazer um colega de trabalho deixar de ser indiferente com você, mas pode restringir a relação que tem com ele – para equiparar-se ao tamanho de sua verdadeira base – afastando-se, fazendo seu

Compaixão e assertividade

próprio trabalho, construindo relações com outras pessoas e providenciando que sua atuação seja amplamente reconhecida. Por outro lado, se há uma grande base de amor no casamento, mas seu companheiro não é tão zeloso emocionalmente, você pode tentar "cultivar" o relacionamento por conta própria, dando especial atenção aos momentos em que ele expressa carinho por meio de ações e deixando-os "impregnar" seu coração; levando-o a situações acolhedoras (jantares com amigos, shows de música, grupos de meditação), ou sendo você mesmo mais carinhoso.

- Ao longo desse processo, tenha em mente o contexto, a visão geral. Veja a inconstância do que quer que esteja em questão, bem como as diversas causas e circunstâncias que levaram a isso. Pense nas consequências – o sofrimento – de quando fica preso a seus desejos e opiniões ou leva as coisas para o lado pessoal. A longo prazo, a maioria das discussões que temos com os outros não tem tanta importância assim.

- Acima de tudo, tente preservar sua orientação fundamental de compaixão e bondade. Você pode divergir em vários pontos com alguém e, ao mesmo tempo, ter muito afeto por essa pessoa. Considerando, por exemplo, tudo o que aconteceu no Tibete desde sua invasão, em 1950, pelos chineses, pense em como o Dalai Lama se referiu ao governo chinês: *meu amigo, o inimigo* (Brehony 2001, 217). Ou em Nelson Mandela, que ficou preso por 27 anos – boa parte desse tempo fazendo trabalho pesado em uma pedreira – e recebendo correspondência a cada seis meses. Diz-se que, tendo perdido a esperança de ter contato com as pessoas que amava, ele decidiu manifestar bons sentimentos pelos carcereiros, enquanto mantinha firme sua posição contra o *apartheid*. Ele era tão gentil que os carcereiros não conseguiam maltratá-lo, por isso as autoridades os substituíam de tempos em tempos. Mas Mandela se afeiçoava aos novos também. De fato, na cerimônia de posse como presidente da África do Sul, um de seus ex-carcereiros estava sentado na primeira fileira.

capítulo 9: PONTOS-CHAVE

- Ter compaixão é ser solidário com o sofrimento de alguém (incluindo a si). Ser assertivo é expressar sua verdade e ir atrás de seus objetivos em qualquer tipo de relacionamento. Ambas as manifestações trabalham juntas. A primeira infunde acolhimento e generosidade à segunda. Esta, a assertividade, ajuda-nos a assumir uma posição em relação a nós mesmos e aos outros e a saber que podemos atender às nossas necessidades, mesmo sendo compassivos.

- A empatia é a base da compaixão genuína, uma vez que nos torna conscientes do sofrimento e das dificuldades dos outros. A empatia também sustenta os relacionamentos de maneiras diferentes, ajudando-nos a compreender o que se passa no íntimo de outra pessoa. Os problemas com empatia são perturbadores. Quando ocorrem frequentemente com pessoas vulneráveis, como crianças, podem ser bem prejudiciais.

- A empatia envolve simular ações, sentimentos e pensamentos alheios. Para as ações, imagine qual seria a sensação em seu corpo ao desempenhá-las; para os sentimentos, sintonize-os com suas próprias emoções e observe de perto o semblante e os olhos do outro; para os pensamentos, leve em conta o que você sabe a respeito da pessoa e crie suposições sobre o mundo interior dela.

- Encarar bem a intimidade é um grande requisito para ter empatia e compaixão. No entanto, a herança evolutiva da humanidade (em que as maiores ameaças geralmente vinham de outras pessoas), associada com experiências pessoais (sobretudo da infância), pode deixar um indivíduo não à vontade com a intimidade. Isso pode ser amenizado concentrando-se em suas próprias experiências internas, em vez de nas alheias, no estado de consciência em si, recorrendo a imagens e estando atento a seu mundo interior.

- A compaixão envolve o CCA e a ínsula. Cultivando esse sentimento, você fortalece os circuitos dessas regiões.

Compaixão e assertividade

- A compaixão é sustentada pela lembrança de como é estar com alguém que o ama, evocando emoções sinceras como gratidão, empatia e abertura ao sofrimento alheio, e desejando-lhe o bem. Manifeste compaixão por cinco tipos de pessoa: benfeitora, amiga, neutra, difícil e você mesmo.
- Ser verdadeiramente assertivo envolve virtude unilateral e comunicação eficaz. Virtude significa viver a partir de sua bondade intrínseca, guiada por princípios. A virtude na mente depende da regulação no cérebro; ambas requerem a manutenção de um equilíbrio em torno de objetivos salutares, que se mantém dentro de uma variação saudável e que muda sem sobressaltos.
- Após considerar o que quer de seus relacionamentos, o que significa respeitar os limites e como interagir em harmonia com os outros, crie seu código de conduta pessoal. Seguir esse código de maneira unilateral – não importando as atitudes alheias – aumenta sua independência e autocontrole nos relacionamentos, é bom por si só, estabelece padrões morais elevados e é sua melhor estratégia para despertar bons comportamentos por parte de outras pessoas.
- Alguns pontos essenciais para a comunicação eficaz: é melhor expor sua verdade do que tentar mudar os outros; esteja sempre em contato com suas experiências, sobretudo as mais profundas; estabeleça os fatos; assuma o máximo de responsabilidade razoável em relação a questões que a outra pessoa tenha com você e continue se interessando por suas queixas legítimas; faça o que estiver ao seu alcance para equiparar o relacionamento à sua verdadeira base; mantenha sempre uma visão do todo; e seja compassivo e bondoso.

CAPÍTULO 10

Bondade sem limites

"Toda a alegria do mundo brota do desejo de que os outros sejam felizes, e todo o sofrimento deste mundo vem de desejar apenas a própria felicidade."
Shantideva

Se ter compaixão é desejar que os seres não sofram, ter bondade é querer que sejam felizes. A compaixão é, acima de tudo, uma reação ao sofrimento, mas a bondade é manifestada em qualquer situação, mesmo quando os outros estão bem. É expressa principalmente de maneiras sutis, cotidianas, como oferecer uma boa gorjeta, ler outra historinha para uma criança, mesmo que você esteja cansado, ou dar passagem a outro motorista no trânsito.

A bondade contém em si generosidade e ternura, podendo ser manifestada por meio de uma atitude gentil com estranhos ou pelo amor profundo que se sente por um filho ou companheiro. A bondade traz as pessoas para o círculo do "nós" e alimenta o lobo do amor.

Ela depende de princípios e intenções "pré-frontais", recompensas e emoções "límbicas", neuroquímicos como oxitocina e endorfinas e excitação do tronco cerebral. Esses fatores concedem a você inúmeras maneiras de cultivar a bondade, prática da qual trataremos neste capítulo.

DESEJAR O BEM PARA OS OUTROS

Costumo trabalhar com crianças e passei muito tempo em escolas. Adoro esta frase que vi uma vez em um quadro num jardim da infância: *Seja legal. Compartilhe seus brinquedos*. Essas são ótimas intenções para ser bom – e não é necessário muito mais do que isso para orientar sua vida!

Todas as manhãs, estabeleça a intenção de ser bom e amoroso ao longo do dia. Imagine a sensação maravilhosa de ser gentil com as pessoas e incorpore esses sentimentos como gratificações que naturalmente direcionarão sua mente e seu cérebro para a bondade. Os resultados se propagarão ao seu redor.

Uma maneira de manifestar boas intenções é por meio de votos tradicionais como estes, os quais podem ser pensados, escritos ou cantados:

Que nada de mal lhe aconteça.

Que você seja saudável.

Que seja feliz.

Que leve a vida com tranquilidade.

Se quiser, eles poderão ser modificados, usando quaisquer palavras que evoquem fortes sentimentos de bondade e amor. Como:

Que esteja protegido dos males internos e externos.

Que seu corpo seja saudável e cheio de vida.

Que realmente encontre a paz.

Que você e todos aqueles que ama tenham prosperidade.

Que tenha proteção, saúde, felicidade e paz.

Você também pode ser bastante específico:

Que consiga o tão sonhado emprego.

Susana, que sua mãe a trate com carinho.
Que você faça uma bela jogada no campeonato, Carlinhos.
Que eu e minha filha façamos as pazes.

A prática da bondade se assemelha à da compaixão de diversas maneiras. Envolve tanto votos quanto sentimentos; no cérebro, a bondade mobiliza as redes pré-frontais de linguagem e intenções, bem como as redes límbicas de emoções e recompensas. Ela invoca a equanimidade para manter o coração aberto, sobretudo diante de uma grande dor ou provocação. A bondade é para todos, todos aqueles considerados como "nós" em seu coração. Há cinco tipos de pessoas com as quais você pode ser bom: benfeitoras, amigas, neutras, difíceis e você mesmo. Quando uma pessoa é gentil com alguém, também é beneficiada; a sensação é boa e encoraja os outros a tratá-la da mesma forma.

Você pode, ainda, ser gentil com partes do seu ser. Por exemplo, tratar bem a criança que vive no seu interior é algo comovente e poderoso. Isso pode ser feito com características suas que você gostaria que fossem diferentes, como a necessidade de chamar atenção, uma deficiência de aprendizado ou um medo relacionado a determinadas situações.

Meditação da bondade

Você pode meditar sobre a bondade; isso desperta uma sensação que é mais "substanciosa" do que a respiração e, portanto, facilita a concentração para muitas pessoas. Uma opção é expressar seus votos bons com orações específicas – como as da seção anterior – e então dizê-las mentalmente, uma a uma, no mesmo ritmo da respiração (por exemplo, uma oração por respiração). Outra possibilidade é usar as orações mais como uma orientação, voltando a elas caso se perca em outros pensamentos. Enquanto isso, continue a se assentar no sentimento de bondade, em que a boa vontade, a generosidade e o carinho não têm limites. Esse sentimento pode ser usado para aprofundar a concentração: em vez de ficar absorto na respiração, você mergulha na bondade. E a bondade toma conta de você; deixe isso entrar em sua memória implícita, costurando com suas linhas graciosas o tecido de sua existência.

Quando você tenta ser legal com alguém da categoria "pessoas difíceis", é normal encarar essa atitude como um desafio. Primeiro, estabeleça certa calma, estabilidade e amplidão na mente. Então, dedique-se a isso, começando por uma pessoa que seja moderadamente difícil para você, como um colega de trabalho que é meio irritante, mas que também tem qualidades.

Praticar o bem no dia a dia

Ao longo do dia, imprima deliberadamente a bondade em suas ações, em seu discurso e, acima de tudo, em seus pensamentos. Tente estimular mais abordagens de bondade nos filminhos que passam em segundo plano em sua mente, no simulador. Quanto mais as redes neurais do simulador disparam com mensagens de bondade, mais arraigados se tornam em seu cérebro tal sentimento e tal postura perante os outros.

Experimente manifestar bondade a alguém por um determinado tempo – pode ser um parente, por uma noite, ou um colega de trabalho, durante uma reunião – e veja o que acontece. Seja bondoso consigo também – e note a sensação que isso lhe traz! Meu mestre, Jack Kornfield, às vezes incentiva as pessoas a dedicar um ano de bondade a si mesmas, uma prática poderosa.

Um chamado para o amor

Em qualquer fé e tradição, todo grande mestre nos diz para sermos amorosos e gentis. Bondade não é ser legal de forma sentimental ou superficial: é um destemido e apaixonado apreço por todas as pessoas e coisas, sem exceções. O amor é a joia do lótus, e é tão

Bondade sem limites

importante quanto a sabedoria. O amor é uma experiência intensa por si mesma, como pode ser visto na referência que Buda faz à "libertação da mente por meio da bondade".

COMO TRANSFORMAR HOSTILIDADE EM BOA VONTADE

É relativamente fácil ser bom quando os outros o tratam bem, ou pelo menos não o prejudicam. O teste de fogo é ter tal atitude mesmo quando você é desrespeitado. Os contos Jataka descrevem as (supostas) vidas passadas de Buda como diversos animais. Para dar um exemplo de bondade incondicional, adaptei uma história em que ele é um gorila:

Certo dia, um caçador adentrou a floresta, perdeu-se e caiu em um buraco profundo, do qual não conseguia sair. Ele gritou por socorro durante dias, ficando cada vez mais faminto e fraco. Enfim, o Buda-gorila o ouviu e foi até lá. Ao ver as paredes íngremes e escorregadias da cavidade, o gorila disse ao homem: "Para tirá-lo daí com segurança, primeiro vou rolar pedras aí dentro e praticar com elas".

O gorila rolou diversas pedras para dentro do buraco, uma maior que a outra, e tirou todas de lá. Finalmente, chegara a vez do homem. Após subir com dificuldade, segurando-se em rochas e trepadeiras, ele tirou o homem de lá e, com a última força que lhe restava, saiu do buraco.

O homem olhou ao redor, muito feliz por ter sido salvo. O gorila, ofegante, deitou-se ao seu lado. O homem disse: "Obrigado, Gorila. Você pode me guiar para sair desta floresta?" E o gorila respondeu: "Claro, Homem, mas primeiro preciso dormir um pouco para recuperar a energia".

Enquanto o gorila dormia, o homem o observava e começou a pensar: "Estou

> *"O ódio nunca é superado pelo ódio. O ódio é superado pelo amor. Essa é uma lei eterna."*
> Dhammapada

com muita fome. Sou capaz de descobrir como sair desta floresta por conta própria. Ele é só um animal. Eu poderia bater uma dessas pedras na cabeça dele, matá-lo e comê-lo. Por que não?"

Então, o homem ergueu uma das pedras o mais alto que conseguiu e atirou- -a com força na cabeça do gorila. O gorila gritou de dor e sentou-se rapidamente, atordoado com a pancada, com sangue escorrendo pela face. Quando olhou para o homem e percebeu o que havia acontecido, lágrimas brotaram em seus olhos. Ele balançou a cabeça com tristeza e disse: "Pobre Homem. Agora você nunca será feliz".

Reflexões sobre boa e má vontade

Essa história sempre me emocionou muito. Ela nos dá muito o que pensar.

- Boa vontade e má vontade têm a ver com intenção: a *vontade* é para o bem ou para o mal. O gorila tinha a intenção de ajudar; e o homem, de matar.
- Essas intenções são expressas por ações e inércia, palavra e proeza e – principalmente – pensamentos. Como você se sente quando percebe que alguém o está fulminando em pensamento? Qual é a sensação de fulminar alguém? O rancor roda um monte de filminhos no simulador, aquelas histórias de ressentimento em relação a outras pessoas. Lembre-se: enquanto o filme estiver passando, seus neurônios estarão disparando juntos.
- A má vontade tenta justificar a si mesma: *Ele é só um animal.* No momento, a racionalização parece plausível, como os boatos de Grima Língua de Cobra em *O senhor dos anéis.* Só mais tarde percebemos como enganamos a nós mesmos.
- A bondade do gorila foi sua própria recompensa. Ele não foi tomado por raiva ou ódio. A primeira flecha atingiu-o na forma de uma pedra; não havia por que acrescentar injúria ao ferimento com uma segunda flecha de rancor.

- O gorila não viu necessidade de buscar desforra. Ele sabia que o homem nunca seria feliz em decorrência de seus atos. Stephen Gaskin (2005) compara o carma com o ato de lançar bolas de golfe dentro de um boxe. Muitas vezes, nossas tentativas de vingança se colocam no caminho de bolas que já estão ricocheteando de volta para a pessoa que as lançou primeiramente.
- Deixar o rancor passar não significa passividade ou permissividade. O gorila não foi intimidado pelo homem, e encarou o ato como aquilo que realmente foi. Há muito espaço para confrontação e para ações eficazes sem se deixar levar pelo rancor ou pela hostilidade. Pense em Mahatma Ghandi ou em Martin Luther King Jr. Na verdade, com uma mente escrupulosa e um coração pacífico, suas ações provavelmente terão mais efeito.

Como domar o lobo do ódio

Aqui há inúmeros métodos para cultivar a boa vontade e abandonar o rancor. Você naturalmente ficará mais atraído por uns do que por outros. A questão não é pôr todos em prática, mas saber que você tem muitas maneiras de amansar o lobo do ódio.

CULTIVE EMOÇÕES POSITIVAS

De um modo geral, alimente e desenvolva emoções positivas como felicidade, satisfação e tranquilidade. Por exemplo, vá atrás de coisas que o deixem feliz e absorva o que há de bom sempre que possível. Sentimentos positivos acalmam o corpo, tranquilizam a mente, criam um escudo contra o estresse e promovem relacionamentos estimulantes – tudo isso diminui a má vontade.

SAIBA O QUE O DEIXA A PONTO DE EXPLODIR

Esteja ciente dos fatores que ativam seu sistema nervoso simpático (SNS) – como estresse, dor, preocupação ou fome – e, consequentemente, os mune para a má vontade. Tente neutralizar essa munição logo no início: antes de falar jante, tome um banho, leia algo inspirador ou converse com um amigo.

PRATIQUE A NÃO HOSTILIDADE

Não discuta, a menos que seja realmente necessário. Tente não se deixar levar pelo turbilhão mental das outras pessoas. Considere a turbulência neurológica que está por trás de seus pensamentos: a complicadíssima, dinâmica e predominantemente arbitrária agitação de circuitos neurais momentâneos em coesão e depois em caos. Ficar perturbado com os pensamentos alheios é como aborrecer-se com os borrifos de uma cachoeira. Desassocie seus pensamentos dos da outra pessoa. Diga a si mesmo: *Ela está ali, eu estou aqui. A mente dela não tem nada a ver com a minha.*

TENHA CUIDADO AO ATRIBUIR INTENÇÕES

Tenha cuidado quando atribuir intenções a outras pessoas. As redes pré-frontais da teoria da mente atribuem intenções o tempo todo, mas frequentemente estão erradas. A maior parte do tempo, você é apenas uma "ponta" na história das outras pessoas; não é o alvo delas em particular. Veja esta parábola do mestre taoista Chuang Tzu (revista por mim):

Imagine que você está navegando num rio, relaxando, quando, de repente, um forte baque contra a lateral da canoa o lança para a água. Atordoado, você sobe à superfície e vê que dois adolescentes com snorkels passaram sorrateiramente e o derrubaram. Como você se sente?

Agora imagine tudo ocorrendo da mesma maneira – a canoa, você sendo arremessado à água –, só que, desta vez, ao subir à superfície, você vê que uma imensa tora submersa atingira em cheio a embarcação. E agora, como se sente?

Para a maioria das pessoas, a segunda situação não é tão ruim: a primeira flecha foi lançada (você foi jogado ao rio), mas não há necessidade de flechas secundárias em forma de ofensa ou raiva por ter sido escolhido como vítima. Na verdade, muitas pessoas são como toras: é uma atitude sábia desviar delas se possível – ou amenizar o impacto –, mas elas não estão *mirando* em você. Considere, também, os muitos fatores rio acima que as levaram a agir de determinada maneira (ver a seguir o exercício "As dez mil coisas").

As dez mil coisas

Faça este exercício no ritmo que achar melhor, com os olhos abertos ou fechados.

Relaxe e acalme a mente, concentrando-se na respiração.

Pense em uma situação em que alguém o ofendeu ou foi injusto com você. Esteja ciente de suas reações a essa pessoa, especialmente das mais profundas. Procure qualquer rancor em seu íntimo.

Agora pense com cuidado nas diversas causas – as dez mil coisas – que levaram essa pessoa a agir de tal maneira.

Considere fatores biológicos que possam tê-la afetado, como dor, idade, temperamento ou capacidade de entendimento.

Reflita sobre a realidade dela: raça, sexo, classe social, profissão, responsabilidades, estresses diários.

Leve em conta tudo o que sabe a respeito da infância dessa pessoa e de acontecimentos marcantes em sua vida adulta.

Pense nos processos mentais, personalidade, valores, medos, fraquezas, esperanças e sonhos que ela possui.

> *Considere os pais dela com base no que você sabe ou é capaz de supor, e pese também os fatores que talvez tenham moldado sua vida.*
>
> *Reflita sobre eventos históricos e outras forças contrárias que formaram o rio de motivos que corre pela vida dela hoje.*
>
> *Olhe para seu interior novamente. Como se sente agora em relação a essa pessoa? E quanto a você? Algo mudou?*

SINTA COMPAIXÃO POR VOCÊ MESMO

No momento em que se sentir destratado, manifeste compaixão por você mesmo – é o primeiro cuidado com o coração. Experimente colocar a mão sobre a face ou o peito para estimular a experiência física de receber compaixão.

ANALISE OS GATILHOS

Examine o que desencadeia sua má vontade, como a sensação de ameaça ou perigo. Veja isso de maneira realista. Será que você não teve uma reação exagerada ao que aconteceu? Será que não está dando importância demais a um único fator negativo no meio de tantos outros positivos?

ANALISE O TODO

Ponha o que quer que tenha ocorrido em um contexto. Os efeitos de muitos acontecimentos desaparecem com o tempo. Eles são parte de algo maior, que na grande maioria geralmente está bem.

Bondade sem limites

PRATIQUE A GENEROSIDADE

Use o que o deixa irritado ou incomodado como uma forma de praticar a generosidade. Pense em deixar as pessoas usarem o que conseguiram: vitórias, dinheiro, tempo, sucesso. Seja generoso com tolerância e paciência.

ENCARE O RANCOR COMO UMA ANGÚSTIA

Trate o rancor que sente como algo que gera sofrimento em *você mesmo*, para que se sinta motivado a deixá-lo de lado. O ressentimento é ruim e afeta a saúde. Por exemplo, a hostilidade regular aumenta o risco de doenças cardiovasculares. O rancor prejudica sempre aquele que o sente, mas, muitas vezes, não tem efeito algum sobre a pessoa que é alvo desse sentimento. Como dizem nos programas de doze passos, *o ressentimento é um veneno que eu tomo, com a esperança de que o outro morra.*

AVALIE O RANCOR

Reserve um dia e examine de verdade até mesmo a menor pontinha de rancor que sente em relação a algo. Veja o que o causou e que consequências teve.

CONFORTE-SE COM A CONSCIÊNCIA

Tranquilize-se, observando o rancor, mas sem se identificar com ele, vendo-o surgir e então desaparecer como qualquer outra experiência.

ACEITE A MÁGOA

A mágoa faz parte da vida. Aceite como verdade que as pessoas vão desrespeitá-lo, acidental ou propositalmente. É claro que isso não significa permitir que os outros o tratem mal ou deixar de se impor. Apenas aceite os fatos como eles são. Sinta a mágoa, a raiva, o medo, mas deixe que passem por você. O rancor pode ser uma forma de evitar encarar suas dores e sentimentos mais profundos.

AFROUXE O SENTIDO DO EU

Experimente deixar para trás a ideia de que houve mesmo um "eu" que foi afrontado ou magoado (ver capítulo 13).

DIANTE DO DESRESPEITO, REAJA COM BENEVOLÊNCIA

Tradicionalmente, a bondade é considerada o antídoto perfeito para a má vontade. Sendo assim, enfrente o desrespeito com benevolência – em qualquer situação. Um conhecido sutra (ensinamento) budista estabelece um padrão elevado: "Mesmo que bandidos estejam prestes a mutilá-lo barbaramente, membro por membro, com um serrote... você deve proceder desta forma: 'Nossa mente permanecerá impassível, e não proferiremos palavras perversas; devemos permanecer compassivos para o bem-estar, com uma mente de bondade, sem ódio interior'" (Nanamoli e Bodhi 1995, 223).

Quanto a mim, ainda não cheguei a esse nível, mas, se é possível permanecermos tranquilos enquanto somos maltratado de maneira tão abominável – e, como sabemos ter ocorrido com pessoas em circunstâncias extremas, é possível, sim –, devemos ser capazes de agir assim em situações de menor relevância, como quando levamos uma fechada no trânsito ou somos humilhados por um adolescente.

COMUNIQUE-SE

Sempre que necessário, expresse sua verdade e imponha-se com assertividade. Sua má vontade está dizendo algo. A arte é compreender a mensagem – talvez a outra pessoa não seja um amigo fiel ou você precise deixar seus limites mais claros – sem se deixar levar pela raiva.

TENHA FÉ NA JUSTIÇA

Assim como na história do gorila, tenha fé em que os outros, em algum momento, sofrerão as consequências de seus atos. Não cabe a você puni-los.

NÃO DÊ LIÇÕES DE MORAL COM RAIVA

Entenda que algumas pessoas não aprenderão a lição, não importa quanto se tente. Então, por que criar problemas num esforço inútil de ensinar algo a elas?

PERDOE

Perdoar não significa mudar sua opinião de que houve injustiças. Mas, sim, abandonar a carga emocional associada à sensação de injustiça. Geralmente, quem mais se beneficia de seu perdão é você mesmo. (Para aprofundar esse assunto, leia *A arte do perdão, da ternura e da paz*, de Jack Kornfield, e *Forgive for good*, de Fred Luskin.)

BONDADE PARA O MUNDO TODO

Considerando nossa tendência antiga de fechar o campo do amor a um pequeno círculo de "nós", rodeado pelos "outros", é bom cultivar o hábito de expandir esse círculo – ampliá-lo basicamente, de forma a abranger o mundo inteiro. Para fazer isso, aqui vão algumas sugestões.

Expandir a categoria do "nós"

Descubra os processos mentais automáticos que o fazem identificar-se com um grupo em particular (como sexo, raça, religião, orientação sexual, tendência política, nação) e então considere membros de grupos diferentes como *outros*. Pense nas semelhanças entre "nós" e "outros", e não nas diferenças. Reconheça que tudo está conectado, que "nós" engloba o mundo inteiro – que, no final das contas, o planeta é o nosso lar e que as pessoas que vivem nele são a extensão de sua família. Crie categorias mentais que incluam você e pessoas que normalmente não fariam parte de seu grupo; por exemplo, quando vir alguém numa cadeira de rodas, pense em como todos nós temos algum tipo de deficiência.

Fique atento, sobretudo, aos processos inerentes de valorizar seu grupo e subestimar os outros (Efferson, Lalive e Feh 2008). Note com que frequência essa valorização ocorre sem nenhum fundamento racional. Esteja ciente de como sua mente inferioriza os outros em relação a você. Concentre-se no que as pessoas dos outros grupos têm de bom. Pense nelas mais como indivíduos do que como representantes de um grupo, o que diminui o preconceito (Fiske 2002).

Bondade sem limites

Amenizar a sensação de ameaça

Fique atento a qualquer sensação de perigo. Esse sentimento evoluiu para nos proteger em ambientes que eram muito mais perigosos do que os que conhecemos hoje. Pensando bem, qual é a probabilidade real de ser prejudicado pelas outras pessoas?

Obter benefício mútuo

Busque oportunidades para cooperar mutuamente com membros de outros grupos (fazendo negócios, compartilhando cuidados com crianças). Quando as pessoas dependem umas das outras para seu bem-estar e as têm como confiáveis e honradas, é muito mais difícil vê-las como inimigas.

Enternecer o coração

Reflita sobre o sofrimento que muitas pessoas experimentam. Pense também em como elas devem ter sido quando crianças – isso ativará a ternura e a boa vontade que naturalmente sentimos em relação a crianças.

Evoque o que sente quando está perto de alguém que o ama, o que estimula sua capacidade de se importar com os outros. Então, traga à mente a afeição por alguém que você considera parte de seu círculo; isso prepara seus circuitos neurais para sentir o mesmo por alguém que seria de "outro" grupo. Depois, amplie o conceito de "nós" para incluir todos os seres vivos do planeta – como na Meditação da bondade, na próxima página.

Meditação da bondade

Aqui, uma meditação estendida da bondade:

Adote uma postura que o mantenha relaxado e vigilante. Tranquilize-se com a respiração. Estabeleça equanimidade, equilíbrio e amplidão mental.

Ao respirar, fique atento às sensações na região do coração. Pense em como se sente quando está com alguém que ama.

Continue sentindo esse amor. Sinta-o atravessar seu coração, talvez acompanhando o ritmo da respiração. Sinta como esse amor tem vida própria, passando pelo coração, e não é direcionado a ninguém em particular.

Perceba seu amor em relação a pessoas que conhece bem, seus amigos e familiares. Sinta uma generosa bondade fluir por seu coração no compasso da respiração.

Sinta essa bondade propagar-se em direção às diversas pessoas conhecidas que você considera como neutras. E deseje o melhor a elas. Deseje que elas sofram menos, que sejam realmente felizes.

Pode ser que você sinta essa bondade como um calor ou uma luz. Ou como ondas suaves que se propagam em todas as direções, cada vez mais longe, e envolvendo mais e mais gente.

Sinta sua bondade expandir-se de modo a incluir até as pessoas complicadas; sua benevolência tem vida e força próprias – ela entende que inúmeros fatores afetaram essas pessoas e as levaram a ser um problema para você. Deseje menos sofrimento até mesmo a quem um dia o desrespeitou. E que seja, também, verdadeiramente feliz.

A paz e a força dessa bondade irradiam ainda mais para incluir pessoas que você sabe que existem, mas que não conhece pessoalmente. Manifeste bondade por todos os indivíduos que vivem em seu país hoje, concordando ou não, gostando ou não deles.

Reserve alguns minutos para estender sua bondade aos bilhões de pessoas que vivem em nosso planeta. Bondade para quem está rindo. Para

Bondade sem limites

> *quem chora. Para quem está se casando. Para quem cuida de uma criança ou parente enfermos. Para alguém que está preocupado. Para quem está nascendo. Para quem está morrendo.*
>
> *Sua bondade flui naturalmente, sem obstáculos, provavelmente no ritmo de sua respiração. Ela se expande para conter todos os seres vivos deste mundo. Desejando-lhes coisas boas. Todos os animais, no mar, na terra, no céu: que todos sejam saudáveis e tranquilos. Desejando bem a todas as plantas: que tenham saúde e tranquilidade. Desejando bem a microrganismos, todos eles, amebas, bactérias e até vírus: que todos os seres vivos tenham paz.*
>
> *Para que todos os seres sejam "nós".*
>
> *Para que todas as crianças sejam minhas.*
>
> *Toda a vida, minha família.*
>
> *O planeta todo, meu lar.*

capítulo 10: PONTOS-CHAVE

- Se ter compaixão é desejar que uma pessoa não sofra, ter bondade é desejar que ela seja feliz. A bondade engloba generosidade e ternura, que amansam o lobo do ódio e alimentam o lobo do amor.
- Há diversas maneiras de fazer isso; entre elas, conceber a intenção de ser gentil, traduzir essa intenção em desejos positivos específicos, meditar sobre a bondade, concentrar-se em atos de bondade cotidianos e usar o amor em si como guia.
- É fácil ser gentil quando os outros o tratam bem. O desafio é manter a mesma postura quando o tratam mal – para preservar a benevolência em detrimento do rancor e da má vontade.

O cérebro de Buda

- É importante lembrar que a gentileza é em si a recompensa, que muitas vezes as pessoas sofrem as consequências de seus atos sem que tenhamos de agir e que é possível se impor sem cair na hostilidade.
- Há muitas maneiras de transformar má vontade em boa vontade e domar o lobo do ódio. Tenha cautela ao atribuir intenções aos outros; não leve as coisas para o lado pessoal; considere sua má vontade como algo prejudicial a você e do qual quer se livrar; responda ao desrespeito com benevolência; saiba se expressar e seja assertivo; e perdoe.
- Aumente o círculo do "nós" para englobar tudo o que conseguir. Esteja atento às categorizações automáticas que fazemos em relação a "nós" e aos "outros" e procure situações em que os "outros" façam parte de "nós"; sempre que se sentir ameaçado, preste atenção e reflita se a ameaça de fato existe; conscientemente, enterneça seu coração em relação aos outros e pratique o bem para o mundo todo.

Parte IV

Sabedoria

CAPÍTULO 11

Fundamentos da atenção plena

"A educação da atenção seria uma educação por excelência."
William James

Falamos muito em atenção e consciência, mas o que isso realmente quer dizer? Estar consciente significa apenas ter um bom controle sobre a atenção: você pode voltá-la para onde quiser e mantê-la ali até o momento em que desejar direcioná-la para outra coisa.

Quando a atenção está fixa, serena, o mesmo ocorre com a mente. Ela não é aturdida ou desviada por qualquer coisa que vier à cabeça, mas se mantém solidamente presente, equilibrada, imperturbável. A atenção é como um holofote, e tudo o que ilumina é captado pela mente e molda o cérebro. Portanto, desenvolver maior controle sobre a atenção é provavelmente a maneira mais genuína de reconfigurar o cérebro e, por conseguinte, a mente.

É possível treinar e fortalecer a atenção assim como qualquer outra habilidade mental (Jha, Krompinger e Baime 2007; Tang *et al.* 2007); este capítulo e o próximo apresentarão diversas formas de fazer isso. Comecemos analisando *como* o cérebro presta atenção às coisas.

O CÉREBRO ATENTO

Para ajudar um animal a sobreviver – sobretudo um animal complicado como o ser humano –, o cérebro controla o fluxo da atenção equilibrando três necessidades: manter a informação na mente, alterar o conteúdo do conhecimento e encontrar a quantidade certa de estimulação.

Guardar informações

O cérebro deve ser capaz de guardar informações importantes no primeiro plano da consciência – seja algo que ocorreu há décadas, seja um número de telefone que você acabou de ouvir. O orientador de minha tese, Bernard Baars (1997), desenvolveu a teoria de um *espaço de trabalho global da consciência* – ou a lousa mental. Qualquer que seja o nome, é um espaço que guarda a informação nova que entra, a velha que é recuperada pela memória e os processos mentais de ambas.

Atualizar o conhecimento

O cérebro deve atualizar essa lousa o tempo todo com novas informações, sejam elas originadas do ambiente ou da própria mente. Imagine, por exemplo, que você veja de relance um rosto conhecido no meio de uma multidão, mas não consiga identificá-lo. Quando finalmente se lembra do nome da pessoa – Maria Joana, que é amiga de uma amiga –, você atualiza a imagem do rosto dela com essa informação.

Buscar estímulos

O cérebro tem um desejo intrínseco de estimulação que provavelmente evoluiu para incentivar nossos ancestrais a continuar a sair em

Fundamentos da atenção plena

busca de alimentos, companheiros e outros recursos. Essa necessidade é tão profunda que, em uma câmara de privação sensorial (em que a pessoa boia em água morna salgada em um espaço totalmente escuro e silencioso), o cérebro às vezes começa a criar alucinações apenas para ter novas informações para processar (Lilly 2006).

Um ato de equilíbrio neural

O cérebro está sempre fazendo malabarismos com esses três aspectos da atenção. Vejamos como isso funciona.

Quando você apreende uma informação, como uma palestra no trabalho ou as sensações provocadas pela respiração, as regiões corticais que auxiliam a memória de trabalho (um componente-chave da lousa mental) se encontram relativamente estáveis. Para mantê-las assim, uma espécie de portão protege a memória de trabalho de todas as outras informações que percorrem o cérebro. Quando esse portão está fechado, você permanece concentrado em uma coisa. Assim que surge um novo estímulo – um pensamento assustador, um pássaro cantando –, o portão se abre subitamente, permitindo que a nova informação entre e atualize a memória de trabalho. Então, o portão se fecha, deixando para fora outras informações. (Na verdade, não é tão simples assim; veja Buschman e Miller 2007; Dehaene, Sergent e Changeux 2003.)

Contanto que o conteúdo da memória de trabalho seja moderadamente estimulante, uma corrente serena de dopamina é produzida, mantendo o portão fechado. Se a estimulação decai significativamente, a pulsação dos neurônios liberadores de dopamina se desacelera, permitindo que o portão se abra e novas informações se agitem. No entanto, um pico de velocidade de liberação da dopamina – decorrente de novas oportunidades ou ameaças – também abre o portão (Braver, Barch e Cohen 2002; Cohen, Aston-Jones e Gilzenrat 2005; O'Reilly 2006).

É um sistema muito simples que produz resultados complexos. Para usar um exemplo adaptado de Todd Braver e Jonathan Cohen (2000), considere um macaco comendo bananas em uma árvore. A mastigação constante mantém estáveis os níveis de dopamina e conserva sua atenção *nessa* árvore. Mas, quando as bananas começam a acabar, a recompensa e, portanto, os níveis de dopamina caem, e os pensamentos sobre comida *naquela* árvore agora instigam a memória de trabalho. Ou, se um macaco amistoso se balança num galho próximo, picos de dopamina provocados por esse novo estímulo também abrem rapidamente o portão para a consciência.

Esse sistema acionado pela dopamina interage com outro sistema neural – fundamentado nos gânglios de base –, que tenta equilibrar as recompensas da busca por estímulo (comida! parceiros novos!) com os riscos que envolvem (exposição a predadores, a rivais e a outros perigos). Os gânglios de base são um tipo de "estimostato" que registra o estímulo que passa pelos sentidos ou se origina da própria mente. Contanto que a quantidade de estímulos permaneça acima de certo limiar, não há necessidade de desencadear a busca por novos estímulos. Porém, quando cai abaixo desse limiar, os gânglios de base avisam o cérebro para obter mais *agora* – e a pessoa acaba ficando irritadiça numa conversa tediosa ou perdida em pensamentos durante a meditação.

DIVERSIDADE NEUROLÓGICA

As pessoas são muito diferentes quanto a suas tendências para guardar informações, atualizar o conhecimento e buscar estímulos (veja a tabela a seguir). Por exemplo, a variação normal de temperamento abrange tanto aqueles que adoram novidades e excitação quanto os que preferem uma vida mais previsível e pacata. Pessoas em ambos os extremos dessa variação enfrentam desafios com frequência, sobretudo em ambientes que requerem atenção a coisas que podem não ser tão interessantes (como em escolas ou escritórios). Por exemplo, alguém cujo conhecimento é facilmente atualizado – cujo portão da memória de trabalho é mantido aberto – tem dificuldade de filtrar estímulos irrelevantes e que distraiam a atenção.

Fundamentos da atenção plena

Qualquer que seja a tendência inata de uma pessoa, sua atenção é influenciada também por suas experiências de vida e sua cultura. A cultura ocidental contemporânea, por exemplo, extrapola e, às vezes, sobrecarrega o cérebro com mais informação do que ele é capaz de suportar no dia a dia. Além disso, nossa cultura habituou o cérebro a uma hiperestimulação – pense nos *video games* e nos *shoppings* –, de modo que uma queda nesse fluxo pode parecer maçante e tediosa. Ou seja, a vida moderna pega a "mente de macaco" original – dispersa e apreensiva – e a deixa ainda mais errante. Tendo isso como pano de fundo, outros fatores como motivação, fadiga, baixos níveis de açúcar no sangue, doenças, ansiedade ou depressão também afetam a atenção.

Os resultados de diferentes tendências nos três aspectos da atenção

Tendência quanto ao aspecto da atenção	Aspecto da atenção e seus resultados		
	Reter informação	Atualizar o conhecimento	Buscar estímulos
Alta	Obsessão Concentração em excesso	Filtros permeáveis Fácil distração Sobrecarga sensorial	Hiperatividade Busca constante por emoção
Moderada	Boa concentração Capacidade de dividir a atenção	Flexibilidade mental Assimilação Acomodação	Entusiasmo Fácil adaptação
Baixa	Falta de concentração Pequena memória de trabalho	Pontos de vista limitados Desatenção Curva de aprendizado plana	Paralisação Apatia Letargia

Qual é seu perfil?

Cada um de nós tem um perfil pessoal de habilidades relacionadas com a atenção, conformadas por temperamento, experiências de vida, influências culturais e outros fatores. No geral, quais são os pontos fortes e fracos da sua atenção? O que você gostaria de melhorar?

Uma armadilha é ignorar esse conjunto de características – ou pior, ter vergonha dele – e então tentar ser algo que não é. Outro perigo é nunca desafiar suas tendências. Entre ambos, há um caminho intermediário em que você não só adapta seu trabalho, condição familiar e práticas espirituais para a sua própria natureza, como, com o tempo, aumenta o controle sobre sua atenção.

Individualize sua abordagem

Usando a prática contemplativa como exemplo, muitas técnicas tradicionais foram desenvolvidas em épocas e culturas que tinham níveis de estimulação relativamente baixos. Mas como ficam as pessoas de hoje, acostumadas a receber muito mais estímulos, sobretudo as mais agitadas? Já vi gente desistir da meditação por não encontrar uma maneira de praticá-la que se adequasse a seu cérebro.

No que se refere aos efeitos intrínsecos, a *diversidade neurológica* é muito mais significativa do que variações entre gêneros, raças ou orientações sexuais. Se as tradições contemplativas pretendem aumentar a diversidade de seus praticantes, elas precisam encontrar mais formas de acolher diversos tipos de cérebro. Além disso, aqui no Ocidente, precisamos mesmo individualizar práticas contemplativas, porque há um diferencial – na vida agitada de quem trabalha para sustentar uma casa – em métodos que são direcionados, eficientes e eficazes.

Para ficar mais concentrado no trabalho, enquanto conversa com seu companheiro ou durante a meditação, permita-se adaptar a maneira de fazer isso à sua própria natureza. Seja compassivo em relação a suas

Fundamentos da atenção plena

dificuldades pessoais para manter-se concentrado: elas não são culpa sua, e a emoção positiva da compaixão é capaz de elevar os níveis de dopamina e ajudar a estabilizar sua mente.

Depois, pense em qual dos três aspectos da atenção representa um desafio maior para você: assimilar algo, filtrar distrações ou controlar o desejo de buscar estímulos. Por exemplo: você se cansa rapidamente quando tenta se concentrar? Você acha que seus filtros deixam passar muitas distrações, de modo que qualquer som ou imagem ao seu redor desvia sua atenção? Ou você é daquele tipo de pessoa que precisa de uma vivência rica em estímulos? Ou alguma combinação dessas características?

No restante deste capítulo, veremos métodos de múltiplo uso para adquirir maior controle sobre a atenção. Depois, no capítulo a seguir, usaremos o preeminente treinamento da meditação da atenção plena para aprimorar sua capacidade de atenção.

ESTABELEÇA INTENÇÕES

Use o poder de seu córtex pré-frontal para definir planos que o permitam ser mais atento ao momento presente:

- Crie uma intenção deliberada no início de qualquer atividade que requeira concentração. Use frases como *Que minha mente seja equilibrada*. Ou apenas recorde um sentimento tranquilo de determinação.
- Induza uma sensação corporal de ser extremamente focado inspirado por alguém que conheça. Use os sistemas de empatia no cérebro para simular em você mesmo a natureza atenta da outra pessoa.
- Continue a restabelecer seus propósitos. Por exemplo, se você está em uma reunião, pode decidir se concentrar novamente de tantos em tantos minutos. Um amigo meu usa um aparelhinho que é programado para vibrar em intervalos diferentes; ele o deixa no bolso e sente um discreto "despertador" a cada dez minutos.

O cérebro de Buda

- Faça do propósito de manter-se atento a configuração padrão de sua vida, para desenvolver o hábito da consciência da atenção plena todos os dias.

Bases para o estado diário de atenção plena

- Faça as coisas com calma.
- Fale menos.
- Quando possível, faça uma coisa de cada vez. Reduza o hábito de ser multitarefa, de fazer várias coisas ao mesmo tempo.
- Concentre-se na respiração ao realizar as atividades diárias.
- Relaxe numa sensação de calma quando estiver com outras pessoas.
- Use fatos rotineiros – como o telefone tocando, o ato de ir ao banheiro ou de tomar água – como sinalizadores para retornar à sensação de estar centrado.
- Durante as refeições, reserve um momento para refletir sobre a origem de seu alimento. Se estiver pensando no trigo de uma fatia de pão, pode imaginá-lo crescendo nos campos e sendo colhido, debulhado, armazenado, transformado em farinha, em massa, assado e transportado ao mercado, tudo o que acontece antes de chegar a seu prato. É possível ir bem longe com essa técnica em apenas alguns segundos. Você também pode pensar em algumas das pessoas que ajudaram a transformar esse trigo no pão, nos equipamentos e na tecnologia envolvidos no processo e em como nossos ancestrais levaram um tempo para descobrir como cultivar grãos silvestres para a alimentação.
- Simplifique sua vida; abandone prazeres pequenos para dar lugar aos que são relevantes.

Fundamentos da atenção plena

FIQUE DESPERTO E ALERTA

O cérebro não consegue ficar totalmente atento se você não estiver desperto. Infelizmente, as pessoas, em média, dormem uma hora a menos do que o necessário por dia. Tente dormir o suficiente (isso depende de suas características e de fatores como fadiga, doenças, problemas de tireoide, depressão). Ou seja, cuide de você. Lutar para ficar atento quando se está cansado é como forçar um cavalo exausto a subir uma encosta.

Supondo que esteja razoavelmente descansado, inúmeros outros fatores podem aumentar seu estado de vigilância:

- Sentar-se numa postura ereta proporciona uma resposta interna à *formação reticular* – uma malha de fibras nervosas no tronco cerebral envolvida com a vigília e a percepção –, avisando que você precisa manter-se vigilante e alerta. Essa é uma razão neurológica que explica o pedido do professor na classe: "Sentem-se direito, crianças!", e também da orientação clássica da meditação de sentar-se ereto e com dignidade.
- "Iluminar a mente" é uma expressão tradicional que significa infundir energia e clareza à mente. Na verdade, para dominar o torpor, às vezes se sugere até visualizar literalmente a luz. Do ponto de vista neurológico, essa "iluminação" tende a envolver um aumento repentino de norepinefrina no cérebro, neurotransmissor – desencadeado também pela reação em cascata do estresse – que funciona como um sinal orientador geral que promove o estado de alerta.
- O oxigênio é para o sistema nervoso o que a gasolina é para o carro. Embora represente somente 2 por cento do peso corporal, o cérebro utiliza em torno de 20 por cento do oxigênio do organismo. Ao respirar fundo várias vezes, você aumenta a saturação de oxigênio no sangue e, consequentemente, eleva a capacidade do cérebro.

O cérebro de Buda

TRANQUILIZE A MENTE

Quando a mente está serena, menos coisas vêm à cabeça para distraí-lo e é mais fácil permanecer atento. No capítulo 5, apresentamos maneiras de "acalmar os ânimos", de tranquilizar a mente ao relaxar o corpo e serenar emoções e desejos. Os métodos aqui se concentram em aquietar o pensamento verbal – essa voz que não para de falar lá no fundo da cabeça.

Tenha consciência do corpo como uma totalidade

Algumas partes do cérebro estão ligadas por *inibição recíproca*: quando uma parte é ativada, suprime outra. Até certo ponto, os hemisférios direito e esquerdo relacionam-se dessa forma; portanto, quando você estimula o hemisfério direito ocupando-se de atividades que o envolvem, os centros verbais do hemisfério esquerdo são eficazmente silenciados.

O hemisfério visual-espacial direito tem a maior responsabilidade para representar o estado do corpo; por isso, ter consciência deste ajuda a suprimir a tagarelice do lado esquerdo do cérebro. A ativação do hemisfério direito é maior quando você sente o corpo como uma *totalidade*, o que acarreta o processamento global daquele hemisfério no estilo *gestalt*.

Para praticar a consciência do corpo inteiro, comece com a respiração; em vez de deixar que a atenção se desvie, como normalmente acontece, de sensação para sensação, experimente sentir a respiração com um gestaltismo isolado e unificado de sensações no abdômen, peito, garganta e nariz. É normal que essa sensação da totalidade se desfaça após poucos segundos; quando isso acontecer, tente recriá-la. Então, estenda a consciência para todo o corpo, sen-

Fundamentos da atenção plena

tido como uma única percepção, como uma coisa só. Essa sensação também tende a desaparecer rapidamente, sobretudo no começo; quando isso acontecer, recrie-a, nem que seja por alguns segundos. Com a prática, você se sairá melhor e até conseguirá fazê-lo durante atividades rotineiras, como reuniões.

Além dos benefícios de aquietar a mente verbal, a consciência corporal auxilia a *singularidade da mente*. Trata-se de um estado meditativo em que todos os aspectos da experiência vêm juntos como uma coisa só e a atenção é bastante estável. Como veremos no próximo capítulo, esse é um dos fatores da absorção contemplativa profunda.

Aquiete os centros verbais

Envie delicadamente uma ordem aos centros verbais, algo como *Silêncio, agora é hora de relaxar e ficar sossegado. Não há nada importante para discutir neste momento. Você terá outras oportunidades para falar depois, ao longo do dia.* Fazendo isso, você usa a força da intenção pré-frontal para direcionar a atividade verbal a um relativo silêncio. Quando (e não "se", infelizmente) as vozes na cabeça começarem a resmungar de novo, repita a ordem a elas, como *Não é hora de tagarelar, seus choramingos estão me atrapalhando, você poderá falar após esta reunião/partida de xadrez/entrevista de emprego.* Ou então ocupe os centros de linguagem do cérebro com outras atividades verbais, como repetir mentalmente um ditado de que goste, um mantra ou uma oração.

Se quiser, comprometa-se a deixar a mente resmungar tudo o que quiser após terminar a atividade em que está concentrado – você verá que é estranhamente divertido e, sem dúvida, interessante estimular o fluxo verbal na mente; isso revela como a maior parte desses pensamentos é arbitrária e insignificante.

PERMANEÇA COMO O ESTADO DE CONSCIÊNCIA

Conforme a atenção plena se estabiliza, você se acalma cada vez mais como o estado de consciência. A atenção contém *objetos mentais*, um termo genérico para designar qualquer conteúdo mental, incluindo percepções, pensamentos, desejos, lembranças, emoções etc. Embora eles interajam ativamente uns com os outros, o estado de consciência nunca é perturbado. É uma espécie de tela em que os objetos mentais registram, como – no provérbio zen – os reflexos de gansos sobrevoando uma lagoa. Mas o estado de consciência nunca é maculado ou aturdido pelo evento transitório.

No cérebro, os padrões neurais representados na consciência variam muito, mas as habilidades de representação em si – a base da experiência subjetiva da consciência – são, em geral, bastante estáveis. Consequentemente, o repouso consciente cria uma bela sensação de clareza e paz interior. Tais sentimentos costumam ser mais profundos na meditação, mas você pode cultivar uma percepção maior se permanecer consciente com o passar do dia. Use a reflexão guiada a seguir para ajudá-lo a fazer isso.

Repouso consciente

Relaxe, com os olhos abertos ou fechados. Acomode-se por simplesmente estar aqui, com a respiração de um corpo tranquilo. Perceba as sensações provocadas pelo ar que entra e sai.

Observe o fluxo de objetos mentais sem se agarrar a eles; não corra atrás de nada nem lute contra obstáculos. Tenha pensamentos, mas não se torne um deles: não se identifique com os conteúdos da consciência. Assista ao filme sem entrar nele.

Fundamentos da atenção plena

Permita que experiências venham e vão sem tentar influenciá-las. Gostos e aversões poderão surgir em relação a objetos mentais; aceite essas preferências como apenas outros objetos mentais. Veja que todos eles têm a mesma natureza: vêm e vão embora.

Fixe-se no momento presente. Abandone o passado e não pense no futuro. Receba cada momento sem tentar ligá-lo ao que passou ou ao que virá. Permaneça no presente, não recorde coisas nem faça planos. Não há tensão, não há busca por nada. Nada a possuir, nada a fazer, nada a ser.

Perceba os intervalos entre os objetos mentais, uma maneira palpável de diferenciar o campo da consciência de seu conteúdo. Por exemplo, traga à mente um pensamento específico, como "há respiração", e então observe o que está presente imediatamente antes e depois do pensamento. Note que existe um tipo de prontidão pacífica, uma capacidade nunca usada, uma lacuna fértil.

Perceba as qualidades espaciais da consciência. Ela é infinita, calma e silenciosa, vazia até que algo apareça, vasta o bastante para guardar qualquer coisa, sempre presente e confiável, e nunca alterada pelos objetos mentais que passam por ela como estrelas cadentes. Mas não confunda nenhum conceito de consciência – que não passa de mais um objeto mental – com o estado de consciência. Continue retornando a simplesmente ser, estar presente, abrindo-se para o infinito, sem fronteiras.

Delicadamente, explore outras qualidades do estado de consciência. Permaneça com sua experiência direta em vez de formar conceitos sobre a consciência. Existe algum tipo de compreensão para isso? A consciência possui uma discreta compaixão? Os objetos mentais são simplesmente modificações do estado de consciência?

capítulo 11: PONTOS-CHAVE

- O que passa pela atenção esculpe o cérebro. Dessa maneira, ter controle sobre a atenção pode ser a única maneira eficaz de moldar o cérebro e, portanto, a mente. A atenção pode ser treinada e fortalecida como qualquer outra habilidade mental; a atenção plena é a atenção bem controlada.

- A atenção tem três aspectos: manter as informações na consciência, atualizar o conhecimento com novas informações e buscar a quantidade certa de estímulos.

- A informação é armazenada na memória de trabalho, a qual possui um tipo de portão de liberação de dopamina. A estimulação constante mantém o portão fechado. Ele se abre quando há queda ou aumento de estímulos, permitindo que novas informações entrem na memória de trabalho, e depois fecha.

- Além disso, os gânglios de base procuram uma quantidade determinada de estimulação. Se você receber mais estímulos do que isso, tudo bem; mas, se receber muito menos, os gânglios de base enviarão sinais para outras partes do cérebro para encontrar mais estímulos.

- Existe uma oscilação natural de pontos fortes e fracos nesses três aspectos da atenção, característica da diversidade neurológica. Cada pessoa tem um perfil próprio. Adaptar seu trabalho, vida e práticas espirituais a seu perfil, bem como aprimorar sua atenção com o passar do tempo, são atos misericordiosos e sensatos.

- Entre as técnicas de múltiplas utilidades para aprimorar a atenção, estão usar a intenção, manter-se vigilante e alerta, aquietar a mente e permanecer como consciência.

CAPÍTULO 12

Concentração bem-aventurada

"A percepção penetrante associada à calma permanente erradica
completamente os estados aflitivos."
Shantideva

A consciência do aqui e agora traz percepção e sabedoria – e a melhor maneira de aprimorá-la é pela meditação. Se você nunca meditou antes, não há problema. Em escritórios, escolas e hospitais em várias partes do mundo, as pessoas estão aprendendo práticas de meditação para se tornar mais produtivas e concentradas, restabelecer a saúde mais rapidamente e sentir-se menos estressadas. Usaremos a meditação para explorar diversas técnicas a fim educar a atenção; elas também podem ser aplicadas em qualquer tipo de situação não meditativa.

O PODER DA MEDITAÇÃO

A concentração que você adquire com a meditação pega o holofote da atenção e o transforma em um feixe de laser. A concentração é a aliada natural da percepção, como você pode ver nesta metáfora budista: *Encontramo-nos numa floresta de ignorância e precisamos de um facão afiado para abrir o caminho e liberar a compreensão; a percepção torna a lâmina cortante e a concentração dá força a ela.* Os estados mais profundos de concentração contemplativa têm importância em todas as tradições. O Caminho Óctuplo do budismo, por exemplo, inclui a Concentração Correta, que trata do desenvolvimento de quatro estados profundos de concentração da mente chamados *jhanas*. (Eles exigem prática dedicada para serem acessados; este capítulo não tem a intenção de ser um manual para os *jhanas*.)

Os desafios da meditação

A meditação é uma grande forma de testar a atenção com a finalidade de fortalecê-la – precisamente porque vai contra a natureza das tendências que desenvolvemos para sobreviver.

Considere as práticas de *atenção focada*, em que a pessoa fica absorvida em algo específico, como a respiração. Animais que concentraram a atenção em uma coisa por muitos minutos seguidos, filtraram todo o resto e suprimiram a necessidade de estimulação – talvez absorvidos pelas réstias de sol passando por entre as folhas – não perceberam movimentações ou sombras ameaçadoras por perto e, portanto, não passaram seus genes adiante. *Mente de macaco* é a expressão tradicional e crítica para atenção inconstante – no entanto, foi exatamente o que ajudou nossos ancestrais a sobreviver.

Ou considere a meditação da *consciência plena*, em que você pratica a consciência indiferente a qualquer coisa que venha à mente, sem se ligar a ela; isso é igualmente contrário à nossa natureza evolutiva. Sensações, emoções, desejos e outros objetos mentais devem atrair atenção para que você reaja a eles. Deixá-los passar sem se envolver simplesmente não é natural.

Valorizar esses desafios ajudará a trazer um pouco de bom humor e autocompaixão a seus esforços para meditar.

Cinco fatores da concentração

Há milhares de anos, os povos investigam como fortalecer a atenção no laboratório da prática contemplativa. Por exemplo, o budismo identificou cinco fatores-chave para estabilizar a mente:

- **Pensamento aplicado** – direcionamento inicial da atenção a algo específico, como o início da respiração.
- **Pensamento sustentado** – permanecer concentrado no objeto da atenção, como manter-se atento a uma inalação inteira, do começo ao fim.
- **Êxtase** – interesse intenso pelo objeto, às vezes é sentido como manifestações súbitas de júbilo.
- **Alegria** – contentamento do coração que inclui felicidade, satisfação e tranquilidade.
- **Unicidade da mente** – unificação da consciência em que tudo é vivido como uma totalidade, poucos pensamentos, equanimidade, uma forte sensação de estar *presente*.

Com base nos princípios gerais para a atenção plena abordados no capítulo anterior, vamos ver como desenvolver os substratos neurais desses cinco fatores. Com a prática, a concentração naturalmente se aprofunda para a maioria das pessoas (Lutz, Slager *et al.* 2008). Seja iniciante ou praticante experiente na meditação, é bom saber que realmente há coisas que se pode fazer no cérebro para assentar a mente, durante todo o caminho até a absorção meditativa profunda.

Para simplificar, vamos nos referir à meditação sentada focada na respiração, mas é possível adotar essas sugestões em outras práticas (como na ioga, entoando cânticos) e para outros objetos de atenção (um mantra, a benevolência). Conforme a mente se estabiliza, leve esse equilíbrio e concentração para outros tipos de prática contemplativa (meditação do *insight/vipassana*, oração, análise da impermanência) e para as atividades cotidianas.

O cérebro de Buda

As próximas três seções tratam de pensamento aplicado e sustentado, bem como as dificuldades que o envolvem. Em seguida, abordaremos êxtase e alegria e, então, a unicidade da mente. Finalizaremos com uma meditação guiada que combina os cinco fatores.

MANTER A ATENÇÃO EM SEU OBJETO

Estas sugestões vão aprofundar seu compromisso com os conteúdos da consciência e, consequentemente, ajudar a manter fechado o portão da memória de trabalho (discutida no capítulo anterior).

- Imagine um pequeno guardião que observa como você cuida da respiração e chama sua atenção quando ela começa a fraquejar. Esse guardião "vive" principalmente no córtex cingulado anterior (CCA), que compara o desempenho real com um objetivo; o CCA é a parte do cérebro mais envolvida no pensamento aplicado e sustentado.
- Instigue os centros de linguagem do cérebro contando ou prestando atenção na respiração. Por exemplo, gentilmente, no fundo da mente, conte cada respiração, de um a dez, e comece novamente. Caso se perca, recomece a contagem a partir de um. (Você pode contar de trás para a frente, de dez a um, recomeçando a contar do dez caso se desconcentre.) Se achar que é capaz, tente fazer dez séries de dez respirações contadas, somando cem, sem perder a contagem; se preferir, comece com as mãos fechadas, esticando um dedo para cada série de dez. Essa pode ser uma ótima maneira de começar uma meditação, levando a mente a um lugar sereno rapidamente.
- Outra opção é observar a sua experiência com tranquilidade – como pensando "para dentro, para fora" a cada respiração. Se ajudar, perceba outros objetos mentais: "pensamento", "lembrança", "preocupação", "planejamento" etc.

Concentração bem-aventurada

- Aprofunde seu envolvimento com a respiração, conferindo-lhe acolhimento, ternura e até mesmo devoção. Quando há emoções envolvidas, a atenção em relação ao objeto é naturalmente intensificada. Além disso, elas comprometem o cérebro como um todo, fazendo com que mais redes neurais sejam implicadas com o objeto da atenção.

FILTRAR DISTRAÇÕES

A seguir, algumas maneiras de preservar um espaço relativamente sossegado na mente, deixando de fora perturbações inconvenientes.

- Antes de iniciar a meditação, abra-se e explore sons e outros estímulos ao seu redor por alguns minutos; faça o mesmo com seu mundo interior. Paradoxalmente, chamar as distrações para *dentro* incentiva-as a ficar de *fora*. Abandonar a flecha secundária da resistência a elas reduz a atenção que recebem. Além disso, o cérebro tende a se habituar à presença de estímulos regulares e deixa de percebê-los após algum tempo.
- Receber alguma coisa em sua totalidade muitas vezes faz com que ela passe pela mente mais rapidamente. É como quando alguém toca a campainha de sua casa: se você a ignorar, a pessoa persistirá; mas, se atender à porta, a pessoa dirá a que veio e irá embora. Você pode fazer com que as coisas sigam seu rumo usando a técnica de observar com tranquilidade descrita anteriormente ("ruídos do trânsito... irritação"). Permitir que algo venha à consciência por inteiro possibilita que seu padrão oculto de atividade neural também se manifeste de maneira plena. Enviada a mensagem, tal coalizão neural não precisa mais continuar a insistir, não tem mais necessidade de competir com outras coalizões para ser o centro das atenções. E, tendo sido transmitida, ela agora será submetida aos poderosos processos que ficam tentando atualizar a memória de trabalho – o que costuma apagar a lousa mental para deixar espaço para uma nova coalizão.

- Quando a sensação de distração diminuir, concentre-se novamente no objeto da atenção (ou em qualquer tipo de meditação que estiver fazendo). Se as distrações voltarem, você pode se abrir a elas por alguns minutos.
- Outra opção é rebater cuidadosamente pensamentos que distraiam nos primeiros estágios de seu desenvolvimento e voltar para a respiração. Assim, você interrompe a formação de coalizões neurais antes de elas se consolidarem completamente.
- Lembre-se de que pode pensar em outras coisas mais tarde; diga a si que assumiu um compromisso com a meditação e deve cumpri-lo. Isso estimula a capacidade do córtex pré-frontal de exercer influência sobre a corrente de percepção e pensamento (Engel, Fries e Singer 2001).
- Note como tudo o que passa por sua mente é um espetáculo passageiro, com artistas transitórios sendo jogados para fora do palco para serem substituídos por outros o tempo todo. Por que se prender a uma coisa só se você sabe que logo ela será substituída por outra?
- Se todo o resto falhar, faça da própria distração o objeto da atenção para esta fase da meditação. Certa vez, quando tentava me concentrar na respiração, era distraído pelo som de um aparelho de ar condicionado. Depois de um tempo, eu me rendi àquele barulho – e gradualmente fui ficando absorto nele.

COMO LIDAR COM O DESEJO POR ESTÍMULOS

Os métodos a seguir aumentam o estado de consciência da meditação e são ótimos especialmente para pessoas de temperamento ativo. O segredo é usá-los somente quando necessário para acalmar a mente, não para escapar da disciplina da meditação.

- Como reação ao que é novo, o cérebro intensifica a atenção. Perceba as qualidades individuais de cada respiração. Traga para si novas

Concentração bem-aventurada

informações ficando atento aos detalhes, como as sensações em diferentes pontos do lábio superior.

- Concentre-se em múltiplas sensações de uma grande área do corpo, como o tórax. Ou note como a respiração desperta sensações por todo o corpo, como movimentos sutis no quadril e na cabeça.
- Divida a respiração em partes, de modo que haja mais a ser sentido. Inspiração, expiração e a pequena pausa entre ambos – já são três partes. Ou divida ainda mais cada inspiração e expiração. (Você pode aplicar métodos semelhantes ao meditar caminhando e outras práticas.)
- Medite caminhando, o que propicia mais estimulação do que meditar sentado em silêncio. Ou faça atividades relacionadas, como ioga e *tai chi chuan*.
- Abra-se a sentimentos de suficiência e contentamento. Ambos aumentam a estimulação e transmitem a mensagem de que você está satisfeito do jeito que está e não sente necessidade de conquistar nada além.
- Como a sensação neutra não é estimulante, ela induz a mente a procurar ação. Dessa maneira, veja o que sua mente faz com objetos neutros e aumente sua estimulação notando aquilo que é "neutro".

ÊXTASE E ALEGRIA

Vamos agora explorar outros dois fatores da absorção: êxtase e felicidade. Sentimentos bons como esses ajudam a concentrar a atenção, provocando transmissões constantemente altas de dopamina para o substrato neural da memória de trabalho. Conforme vimos no capítulo anterior, o portão para a memória de trabalho – e, portanto, para o campo da consciência – se abre de repente tanto em situações de queda quanto de subida brusca de dopamina. A dopamina sempre alta – como a gerada por sentimentos positivos – evita quedas. Além disso, quando os neurônios liberadores de dopamina já se encontram quase em velocidade máxima de disparo, é difícil ter um pico – afinal, estão perto de seu teto e não têm muito mais para onde subir. Assim, quanto mais agradáveis e intensos seus sentimentos, maior a liberação de dopamina – e mais concentrada sua atenção.

Ou seja, não importa se você está entrando em meditação contemplativa profunda ou apenas tentando permanecer acordado em uma reunião de negócios, a felicidade ajuda sempre. Descobri que intensificar boas emoções durante a meditação é uma prática maravilhosa: a sensação é incrível, aumenta a concentração e promove uma grande sensação de bem-estar ao longo do dia.

Aqui estão algumas maneiras de intensificar o êxtase e a alegria. Primeiro, experimente fazer isso ao meditar, e então tente aplicar a situações cotidianas.

- Perceba o êxtase e a alegria quando eles surgirem espontaneamente. Abra-se a eles e incorpore-os.
- Pense: *Que venha o êxtase. Que venha a alegria (felicidade, satisfação, paz).* Com tranquilidade, permita a manifestação desses sentimentos.
- Integre o êxtase e a alegria com as sensações provocadas pela respiração. Deixe o júbilo inspirar você, deixe a respiração ser tranquila.
- Torne o êxtase ou a alegria o novo objeto de sua atenção e mantenha-se cada vez mais absorto nesse estado de espírito.
- Alegria engloba felicidade, contentamento e tranquilidade; sentimentos que devem ser explorados. A tranquilidade, em particular, é um dos sete fatores da iluminação no budismo, e ainda induz à concentração. Essa sensação de paz e serenidade – como um lago vítreo – vale a pena ser conhecida e cultivada.
- Conheça as nuances do êxtase, da felicidade, do contentamento e da tranquilidade. Tenha uma ideia clara de cada estado para saber evocá-lo no futuro. Com o tempo, é natural afastar-se gradualmente da intensidade do êxtase em direção às sutis, porém mais sublimes, recompensas da felicidade, do contentamento e da tranquilidade.
- Experimente intensificar suavemente esses estados mentais, acompanhando-os, se quiser, de uma leve aceleração da respiração. Existe

Concentração bem-aventurada

um ritmo natural em que um estado fica mais forte por segundos, talvez minutos, e então se assenta novamente – e aí você pode intensificá-lo mais uma vez.

- No decorrer da meditação, geralmente funciona ir do êxtase à felicidade, depois ao contentamento e, enfim, à tranquilidade. E, conforme a meditação chega ao fim, faça o caminho inverso, passo a passo, em vez de ir direto da tranquilidade para o êxtase.

- De modo geral, encontre o ponto ideal em que você é ativo mentalmente o suficiente para estimular esses estados diversos, mas sem forçar demais a mente ou se prender a qualquer resultado específico.

UNICIDADE DA MENTE

Esse estado envolve a união da consciência, baseada em uma absorção mais profunda no objeto da atenção. Os pensamentos são mínimos; e a mente, estável. Você se sente muito presente, com uma sensação crescente de equanimidade.

A unicidade da mente está provavelmente associada com as ondas gama de alta frequência encontradas em praticantes de meditação experientes (Lutz *et al.* 2004). À medida que a pessoa fica mais absorvida na meditação, parece haver uma difusão e um fortalecimento da atividade das ondas gama, o que, presumivelmente, está por trás da experiência de uma crescente amplidão e estabilidade da mente.

A unicidade da mente tende a ser uma consequência natural dos outros quatro fatores da concentração. Você pode estimulá-la de várias outras maneiras também. Primeiro, como já discutimos, a consciência do

> *"Quando não há tranquilidade, não há silêncio. Quando não há silêncio, não há percepção. Quando não há percepção, não há clareza."*
> Tenzin Priyadarshi

corpo como uma totalidade estimula o processo holístico, estilo *gestalt*, do hemisfério direito e, portanto, ajuda a unificar a mente. Para ter essa consciência plena, comece sentindo a respiração e então estenda essa sensação até abranger todo o corpo como algo único; se a experiência começar a se desintegrar, regenere-a quantas vezes for necessário até que fique mais estável. Segundo, entregue-se ao momento presente como ele é. Abandone o passado e o futuro; por este período, nesta meditação, renuncie à preocupação, ao planejamento, à imaginação. Alimente a continuidade da presença no aqui e agora. Terceiro, afrouxe a sensação a respeito de si mesmo o máximo possível (falaremos um pouco mais sobre isso no próximo capítulo). Muito "eu" vai distraí-lo e separá-lo da bela e profunda existência que é a unicidade.

MEDITAÇÃO CONCENTRADA

Independentemente de onde comece, você é capaz de se concentrar melhor. É como um músculo: quando usado, fica mais forte. Se a sua mente se dispersar, o que é inevitável, tente não ser muito duro com você, apenas retorne ao estado de consciência na próxima respiração. Como diz o mestre budista Joseph Goldstein, fique relaxado sem ser descuidado. O passado não importa, mas sim o que você faz *agora*. A qualquer momento, é possível voltar e manter a atenção na respiração. E abrir-se ao êxtase e à alegria. E você pode se direcionar mais para a unicidade da mente.

Buda nos concedeu uma espécie de roteiro para a prática contemplativa: estabilize a mente, tranquilize-a, dê-lhe unicidade e torne-a concentrada. Isso será o nosso guia para a meditação a seguir, que envolve as bases para a atenção plena e a concentração tratadas neste e em capítulos anteriores. Você pode adaptar essas orientações para outras meditações ou atividades afins.

Concentração bem-aventurada

A meditação

Adote uma postura confortável, que seja, ao mesmo tempo, relaxada e alerta. Feche os olhos ou deixe-os abertos, olhando fixamente uns 60 centímetros à sua frente.

Fique atento aos sons que vêm e vão. Às sensações do corpo. Aos pensamentos e sentimentos. Perceba qualquer coisa que desvie sua atenção; mantenha-se ciente dessa distração por um tempo e então mude o foco para a respiração.

Crie uma intenção para a sua meditação; pode ser em palavras ou não. Imagine ser alguém muito compenetrado, como uma pessoa que você conheça ou uma figura histórica como Buda.

Relaxe de verdade. Inspire profundamente e expire todo o ar, sentindo a tensão abandonar seu corpo. Tenha consciência das sensações internas da respiração, o ar fresco entrando e o ar morno saindo, o peito e o abdômen se expandindo e murchando. Não tente controlar a respiração de maneira alguma, deixe que permaneça como está. Esteja atento à respiração ao longo da meditação, usando-a como um tipo de âncora.

Sinta-se o mais seguro que conseguir. Você está protegido, forte, capaz de relaxar a vigilância e levar a atenção para seu interior.

Tenha alguma compaixão por você. Traga à tona também outros sentimentos positivos, mesmo os singelos como a gratidão.

Sinta os benefícios desta meditação entrando, nutrindo e ajudando você e, delicadamente, inclinando sua mente e cérebro para uma direção ainda mais proveitosa.

Tudo bem. Nos próximos cinco minutos ou mais, tente manter-se presente em cada respiração, do início ao fim. Imagine que existe um pequeno guardião em sua mente observando sua atenção e que vai avisá-lo caso ela comece a se dispersar. Entregue-se a cada respiração e abandone todo o resto. Deixe de lado o passado e o futuro e fique presente a cada respiração.

Descubra uma região em que as sensações físicas da respiração são mais evidentes, como o peito ou o lábio superior. No início de cada respiração, empregue a atenção nessas sensações. Então, fique atento a elas do começo ao fim. Perceba o intervalo entre a inspiração e a expiração. Agora, coloque a atenção na expiração, mantendo-a até o fim.

Se ajudar, conte mentalmente cada respiração de um a dez, recomeçando do início caso perca o fio da meada. Ou pense na respiração "para dentro, para fora". Conforme a concentração se aprofunda, deixe essas palavras se esvanecerem.

Abandone-se à respiração, renunciando a todo o resto durante a meditação. Conheça as sensações em cada respiração. Ao inspirar, saiba que está inspirando. Ao expirar, esteja ciente de estar expirando.

Muito bem. Esteja consciente de quaisquer sentimentos de êxtase ou alegria. Abra-se a eles e deixe-os entrar. Que a glória se manifeste. Que a alegria se manifeste. Mude a atenção para elas por um tempo. Intensifique os sentimentos de êxtase e alegria. Respire um pouco mais rápido. Se as sentir, deixe que elas passem por todo o seu corpo.

Sinta-se muito feliz, contente, tranquilo. Explore as diferentes qualidades de êxtase, contentamento e tranquilidade. Mergulhe cada vez mais nesses estados.

Incorpore o êxtase e a alegria à respiração, ficando cada vez mais absorto e estabilizando a mente.

Certo. Sua mente está se tornando bem tranquila. A atenção é absorvida sobretudo em um objeto, como as sensações da respiração que se manifestam no lábio superior. Sinta os pensamentos verbais chegarem e passarem rapidamente. Há uma tranquilidade imensa.

Existe uma consciência da respiração, as sensações da respiração unidas em uma coisa só. Então, uma consciência do corpo como uma totalidade. Sinta o corpo inteiro mudar levemente com a respiração. Você não é contra nem a favor daquilo que passa por sua mente. Se achar que algo vai perturbar essa paz, deixe passar e relaxe na quietude.

Muito bem. Sua mente está adquirindo unicidade. Há consciência do corpo e da experiência como uma totalidade. Poucos pensamentos, talvez ne-

Concentração bem-aventurada

---

nhum. Uma sensação de limites e barreiras se desintegrando na mente. Não há resistência a nada. Solte-se completamente. Sinta uma união crescente se espalhando e se fortalecendo na mente. Que venha a unicidade.

Deixe-se vivenciar estados mentais que sejam desconhecidos em sua plenitude e profundidade. Não se prenda a nenhum pensamento. Fixe-se mais profundamente na respiração, tornando-se uma coisa só. A absorção na respiração exige cada vez menos esforço. Nada a conquistar, nada a ser. Deixe a percepção subir, examinando a experiência, a mente, o mundo. Pequenos resquícios de desejos incontroláveis se desfazem. Você está calmo e livre.

Pronto. Quando quiser, finalize a meditação gradualmente. Com calma, volte de onde quer que esteja para a tranquilidade, depois para o contentamento, para a felicidade, para um gostinho de êxtase e, enfim, para um estado mental mais cotidiano. Leve o tempo que precisar. Seja bom com você.

Que a paz e a serenidade da mente penetrem em seu ser, tornando-se parte de você. Que elas o acompanhem e a todos à sua volta.

---

capítulo 12: PONTOS-CHAVE

- A atenção plena leva à sabedoria, e a melhor maneira de aprimorar tal estado mental é a meditação.
- Além de favorecer a produtividade, o aprendizado e a saúde, a meditação concentra a mente para a prática contemplativa; a concentração sustenta a percepção profunda e libertadora tanto nas causas do sofrimento quanto nas de grande felicidade e paz.
- No budismo, há cinco fatores tradicionais que assentam a mente: pensamento aplicado, pensamento sustentado, êxtase, alegria e unicidade da mente. Abordamos diversas maneiras de fortalecer os substratos neurais.

- Lidamos com as dificuldades com pensamento aplicado e sustentado em relação aos três aspectos da atenção: fixando-se no objeto, eliminando distrações e controlando o desejo por estímulos.
- O êxtase e a alegria ajudam a concentrar a atenção, promovendo grandes transmissões constantes de dopamina; estas mantêm fechado o portão para a memória de trabalho, de modo que você fique cada vez mais absorto no que está dentro de si mesmo.
- A unicidade da mente é provavelmente mantida pela sincronização rápida de ondas gama de grandes áreas do cérebro. Esse estado pode ser estimulado pelos outros quatro fatores da concentração, mais a consciência do corpo como uma totalidade, entregando-se ao momento e relaxando a noção do eu.

CAPÍTULO 13

Como relaxar o eu

"Estudar o Caminho é estudar o eu.
Estudar o eu é esquecer o eu.
Esquecer o eu é ser iluminado por todas as coisas."
Dogen

Chegamos agora ao que talvez seja a maior fonte de sofrimento – e, consequentemente, àquilo que é mais importante conhecer: o eu aparente.

Avalie sua vida. Quando você leva as coisas para o lado pessoal fica ávido por aprovação, o que acontece? Você sofre. Quando identifica algo como "eu" ou tenta possuir algo como "meu", você se abre para o sofrimento, pois todas as coisas são frágeis e inevitavelmente desaparecerão. Quando você se afasta das pessoas e do mundo como "eu", sente-se isolado e vulnerável – e sofre.

Por outro lado, quando abandona a sutil restrição do eu – quando está imerso no fluxo da vida, e não fora dela, quando o ego e a egolatria passam para segundo plano –, você se sente mais tranquilo e realizado. É isso o que experimentamos quando admiramos um maravilhoso céu estrelado, quando estamos à beira-mar ou quando nasce um filho. Paradoxalmente, quanto menos o eu estiver presente, mais felizes seremos.

O cérebro de Buda

A certa altura da vida, todos se fazem a mesma pergunta: *Quem sou eu?* E ninguém sabe de fato a resposta. O ser é uma questão escorregadia, sobretudo quando é o sujeito que considera a si mesmo um objeto! Vamos, portanto, desenvolver esse assunto intangível com uma atividade prática: levar o corpo para passear. Depois investigaremos a natureza do eu no cérebro. Por último, veremos métodos para relaxar e liberar o "ser em ação" para tornar você mais confiante, tranquilo e unido a todas as coisas.

Leve o corpo para passear

Tente fazer este exercício com a mínima percepção possível do "eu". Caso não se sinta à vontade, concentre a atenção em sensações físicas básicas, como nos pés ou nas mãos.

Exercício

Relaxe e perceba o corpo respirando.

Estabeleça a intenção de abandonar o eu o máximo possível e observe a sensação que isso lhe causa.

Fique atento à respiração. Seja a respiração. Não há nada mais a fazer, nenhuma necessidade de fazer seja o que for.

Sinta-se o mais seguro possível. Amenize qualquer sensação de ameaça ou aversão. Não há nenhuma necessidade de se mobilizar em busca de proteção.

Sinta a paz subindo e descendo com cada respiração. Não é necessário agarrar-se a prazer algum.

Continue relaxando. Solte-se e liberte-se do eu a cada expiração.

Desfaça-se de qualquer controle sobre a respiração. Deixe o corpo conduzi-la, assim como faz durante o sono.

Como relaxar o eu

A respiração continua. A consciência continua. Há uma vasta consciência e pouca sensação do eu. Em paz, sem necessidade do eu. A consciência e o mundo seguem em frente, fazendo tudo certo sem um eu.

Lentamente, observe o entorno. As coisas não precisam do eu.

Explore pequenos movimentos. Mova um dedo ligeiramente, mexa-se na cadeira. A intenção deve conduzir o movimento, e não o eu.

Levante-se devagar. Há a consciência do ato de levantar-se, mas será que existe a necessidade de um eu?

Em pé, mexa-se um pouco. Percepções e movimentos sem um dono ou diretor.

Então, ande sem rumo, lenta ou rapidamente. Sem o eu. Percepções e movimentos sem ninguém que se identifique com a experiência. Faça isso por alguns minutos.

Depois de um tempo, sente-se outra vez. Descanse com a respiração, simplesmente presente, atento. Pensamentos sobre o eu ou pela perspectiva do eu são apenas conteúdos da consciência como qualquer outro, sem nada de especial.

Relaxe e respire. Sensações e sentimentos são apenas conteúdos da consciência que surgem e se dispersam. O eu também surge e se dispersa na consciência, sem problema algum.

Relaxe e respire. Veja o que está presente quando o eu está ausente.

Relaxe e respire. Não existem problemas.

Reflexões

Talvez seja um pouco difícil voltar ao campo do pensamento verbal. Enquanto lê este livro, explore a noção de compreender palavras sem um eu para compreendê-las. Note que a mente é capaz de executar muito bem suas funções sem um eu no comando.

> ## Relembrando o exercício:
>
> - Como foi a experiência? Qual é a sensação despertada pelo eu? Agradável ou desagradável? Existe uma sensação de restrição quando o eu ganha força?
> - É possível realizar diversas atividades físicas e mentais sem muito envolvimento do eu?
> - O eu foi sempre o mesmo ou aspectos diferentes se manifestaram em momentos diferentes? A intensidade do eu mudou também? Oscilava entre forte e fraca?
> - O que levou o eu a se transformar? O que o medo, a raiva ou outros pensamentos ameaçadores despertaram? Quais foram os efeitos do desejo? Que consequências os outros enfrentaram ou imaginaram enfrentar? O eu existe de maneira independente ou ele vem à tona e muda de acordo com a situação?

O EU NO CÉREBRO

As experiências que você acabou de ter – de que o eu tem muitos aspectos, é apenas parte de um indivíduo, está em constante mutação e varia conforme a situação – dependem de substratos físicos do eu no cérebro. Pensamentos, sentimentos, imagens etc. existem como padrões de informação representados por padrões de estrutura e atividade neural. Da mesma forma, os diversos aspectos do eu aparente – e a íntima e forte experiência de *ser* um eu – existem como padrões na mente e no cérebro. A questão não é se esses padrões existem, mas sim qual é a sua *natureza*. E aquilo que esses padrões parecem defender – um eu unificado, dono permanente das experiências e agente das ações – realmente existe? Ou o eu é como um unicórnio, um ser mítico cujas representações existem, mas que é, na verdade, imaginário?

O eu tem muitas faces

Os diversos aspectos do eu são baseados em estruturas e processos distribuídos pelo cérebro e pelo sistema nervoso e incrustados nas interações do corpo com o mundo. As pesquisas classificam esses aspectos do eu, bem como suas bases neurais, de várias maneiras. Por exemplo, o *eu racional* ("Estou resolvendo um problema") tende a surgir principalmente em conexões neurais entre o córtex cingulado anterior (CCA), o córtex pré-frontal e o hipocampo; ao passo que o *eu emocional* ("Estou chateado") emerge da amígdala cerebelar, do hipotálamo, do corpo estriado (parte dos gânglios de base) e da parte superior do tronco cerebral (Lewis e Todd 2007). Partes diferentes do cérebro reconhecem seu rosto na foto de um grupo, conhecem sua personalidade, são responsáveis por seus atos e veem as situações de seu ponto de vista, e não do dos outros (Gillihan e Farah 2005).

O *eu autobiográfico* (Damásio 2000) incorpora o eu racional e um pouco do eu emocional e produz a sensação do ser com um passado e um futuro exclusivos. O *eu nuclear* envolve um sentimento oculto e em grande parte não verbal do ser que tem pouca noção de passado e futuro. Se o córtex pré-frontal – que fornece a maioria do substrato neural do eu autobiográfico – fosse prejudicado, o eu nuclear permaneceria, embora com pouca noção de continuidade quanto a passado e futuro. Por outro lado, se as estruturas subcorticais e do tronco cerebral, dos quais o eu nuclear depende, sofressem lesões, tanto o eu nuclear como o eu autobiográfico desapareceriam, o que nos faz supor que o eu nuclear é a base neural e mental do eu autobiográfico (Damásio 2000). Quando a mente está bem tranquila, o eu autobiográfico parece um tanto ausente, o que presumivelmente corresponde a uma desativação relativa do substrato neural. As meditações que acalmam a mente, como as práticas de concentração que vimos no capítulo anterior, aumentam o controle consciente sobre esse processo de desativação.

O *eu como objeto* surge quando deliberadamente pensamos em nós mesmos – "Será que como pizza ou comida chinesa hoje à noite? Como posso ser tão indeciso?" – ou quando associações conosco vêm à cabeça espontaneamente. Essas representações são assuntos dentro de uma narrativa que, com o passar do tempo, vai juntando momentos do eu em uma espécie de filme de um eu aparentemente coerente (Gallagher 2000). Essa autorreferência se apoia em estruturas corticais mediais (Farb *et al.* 2007), na junção dos lobos temporal e parietal e na extremidade posterior do lobo temporal (Legrand e Ruby 2009). Essas regiões do cérebro também executam inúmeras outras funções (como pensar em alguém, fazer avaliações), por isso não devem ser relacionadas especificamente com o eu (Legrand e Ruby 2009). As representações do eu passam por elas misturadas a todos os tipos de conteúdo mental, colidindo entre si como galhos e folhas na correnteza, aparentemente sem nenhuma condição especial do ponto de vista neurológico.

Fundamentalmente, o *eu como objeto* é a noção elementar de ser aquele que vivencia experiências. A consciência tem uma subjetividade inerente, a localização de uma perspectiva particular (por exemplo, de meu corpo, não do seu). Essa localização é fundamentada no compromisso do corpo com o mundo. Por exemplo, quando você olha ao redor para examinar um ambiente, o que vê está especificamente relacionado com seus próprios movimentos. O cérebro relaciona inúmeras experiências para encontrar a característica comum: a vivência delas em um corpo específico. De fato, a subjetividade surge da distinção básica entre *este* corpo e *esse* mundo; no sentido mais amplo, a subjetividade é gerada não apenas no cérebro, mas também nas contínuas interações que o corpo tem com o mundo (Thompson 2007).

Então, o cérebro relaciona momentos de subjetividade para criar um sujeito aparente que – ao longo do desenvolvimento, da infância à fase adulta – é elaborado e disposto em camadas pela maturação do cérebro, particularmente regiões do córtex pré-frontal (Zelazo, Gao e Todd 2007). No entanto, na subjetividade não há sujeito *inerente*; em práticas avançadas de meditação, é encontrada uma mera consciência sem um sujeito (Amaro 2003). A consciência requer subjetividade, mas não necessita de um sujeito.

Como relaxar o eu

Em resumo, do ponto de vista neurológico, a sensação diária de ser um eu unificado é uma total ilusão: o "eu" aparentemente coerente e sólido é, na verdade, construído a partir de muitos subsistemas e seus respectivos subsistemas, sem um centro estabelecido, e a ideia fundamental de que existe um sujeito da experiência é produzida por inúmeros e discrepantes momentos de subjetividade.

O eu é apenas uma parte da pessoa

Uma *pessoa* é um corpo-mente humano, um sistema autônomo e dinâmico que é resultado da cultura e do mundo natural (Mackenzie 2009). Você é uma pessoa, eu sou uma pessoa. Pessoas têm histórias, valores, planos. São moralmente condenáveis e colhem aquilo que semeiam. Continuam a existir desde que o corpo esteja vivo; e o cérebro, razoavelmente intacto. Porém, como já vimos, conteúdos mentais relacionados a nós mesmos não dependem de uma condição neurológica específica e são apenas parte do fluxo contínuo da atividade mental. Qualquer aspecto do eu que esteja momentaneamente ativo envolve apenas uma pequena fração das muitas redes do cérebro (Gusnard *et al.* 2001; Legrand e Ruby 2009). Mesmo os aspectos do eu que estão armazenados na memória explícita e implícita utilizam somente uma fração do depósito de informações a respeito do mundo, do processo perceptivo, da ação prática etc. O eu é apenas uma parte da pessoa.

Além disso, a maioria das facetas de uma pessoa pode se manifestar sem a orientação de um eu. A maior parte dos pensamentos, por exemplo, surge espontaneamente. No dia a dia, todos nós executamos atividades físicas e mentais sem um eu para fazê-las acontecer. Na verdade, quanto menos houver de si, melhor, uma vez que isso melhora o desempenho de muitas tarefas e funções emocionais (Koch e Tsuchiya 2006; Leary, Adams e Tate 2006). Até mesmo quando parece que o eu tomou uma decisão consciente, essa escolha costuma ser o resultado de fatores inconscientes (Galdi, Arcuri e Gawronski 2008; Libet 1999).

O cérebro de Buda

A atenção, em especial, não depende de um eu. Aspectos do eu aparecem e se dispersam, mas a atenção permanece como um campo da consciência independente de suas vicissitudes. Para ter essa experiência, fique atento ao que acontece um ou dois segundos depois de ouvir ou ver algo novo. Primeiro, a pura percepção cristaliza-se na consciência, sem nenhuma sensação de um ser, um eu que desempenhe a ação de perceber; depois, é possível observar uma sensação crescente de si ligada à percepção, sobretudo se for algo pessoalmente importante. Mas é bastante evidente que a *consciência pode cumprir suas funções sem um sujeito.* Costumamos supor que a consciência tem um sujeito, uma vez que ela envolve subjetividade, como vimos acima, e o cérebro relaciona momentos desse tipo para encontrar um sujeito aparente. Porém, a subjetividade é apenas uma forma de estruturar a experiência; não é uma entidade, um ser do além espreitando através de nossos olhos. Na verdade, observar a própria experiência mostra que o eu – o sujeito aparente – muitas vezes vem à tona após o fato. O eu muitas vezes é como alguém que corre atrás de um desfile já começado, gritando: "Olhe o que eu criei! Olhe o que eu criei!"

O eu em constante mutação

Assim como diferentes partes do eu se apresentam e depois abrem caminho para outras partes, o mesmo acontece com os momentâneos circuitos neurais que as tornam possíveis. Se seus fluxos de energia pudessem ser vistos como um jogo de luzes, um espetáculo extraordinário se movimentaria continuamente em sua cabeça. No cérebro, *toda manifestação do eu é impermanente.* O eu é construído e desconstruído o tempo todo.

O eu parece coerente e contínuo em virtude da maneira pela qual o cérebro forma a experiência consciente: imagine mil fotografias sobrepostas umas às outras, cada uma levando alguns segundos para revelar uma imagem clara e então desvanecer-se. Essa construção da experiência cria

Como relaxar o eu

a ilusão de integração e continuidade, assim como 22 quadros por segundo geram a impressão de movimento em um filme. Consequentemente, vivemos "agora" não como um lapso de tempo no qual cada instante aparece e acaba abruptamente, mas como um período de um a três segundos com começo e fim esmaecidos (Lutz *et al.* 2002; Thompson 2007).

Não se trata do fato de termos um eu, mas de sermos um eu em ação. Como disse Buckminster Fuller: "Pareço ser um verbo".

O eu depende da situação

Em qualquer momento, as partes do eu que estão presentes dependem de muitos fatores, como herança genética, histórico pessoal, temperamento e situações. Particularmente, o eu depende muito da sensação provocada pelas experiências. Quando a experiência é neutra, o eu tende a se misturar com o que se passou. Mas, quando surge algo bem agradável ou desagradável – como um e-mail interessante ou uma dor física –, o eu logo se mobiliza no fluxo que vai da sensação ao desejo incontrolável e deste ao apego. O eu se forma em torno de fortes desejos. O eu cria um desejo ou o desejo cria um eu?

O eu também está muito associado ao contexto social. Experimente caminhar sem direção: em geral, não há muita sensação do eu. Mas, se encontrar um velho conhecido, em segundos muitas partes do eu virão à tona, como lembranças e experiências compartilhadas – ou a preocupação com a aparência.

O eu nunca se manifesta por conta própria. Ele se desenvolveu ao longo de muitos milhões de anos, moldado pelas reviravoltas da evolução (Leary e Buttermore 2003). Então, hoje, a qualquer momento, ele surge por meio de atividades neurais que dependem de outros sistemas corporais, e esses sistemas dependem de uma rede de fatores de sustentação que vão desde mercearias até as aparentemente arbitrárias, mas notavelmente providenciais, constantes físicas deste universo, que propiciam as condições para a vida, como as estrelas, os planetas e a água. *O eu não tem existência inerente, incondicional, absoluta,* exceto pela rede de fatores que lhe dá origem (Mackenzie 2009).

O eu é como um unicórnio

Representações relacionadas ao eu são abundantes na mente e, por conseguinte, no cérebro. Aqueles padrões de informação e atividade neural são, sem dúvida, reais. Contudo, aquele para quem eles apontam, explícita ou implicitamente – um eu unificado, permanente, independente, que é o indispensável dono das experiências e agente das ações – simplesmente não existe. No cérebro, as atividades relacionadas ao eu são distribuídas e combinadas, e não unificadas; elas são variáveis e passageiras, não permanentes, e dependem de condições inconstantes, entre as quais as interações que o corpo tem com o mundo. Não é porque temos uma sensação do eu que o somos. O cérebro junta momentos heterogêneos do eu em ação e de subjetividade, formando uma ilusão de continuidade e coerência. O eu é, de fato, um personagem fictício. Às vezes, é bom agir como se fosse real, como veremos a seguir. Interprete o papel do eu quando for necessário, mas tenha sempre em mente que quem você é como pessoa – dinamicamente entrelaçado com o mundo – é mais vivo, interessante, capaz e extraordinário do que o eu.

UM EU (APARENTE) TEM SUA UTILIDADE

Um eu aparente pode ser bom para algumas coisas. É uma maneira prática de distinguir uma pessoa da outra. Ele dá uma sensação de continuidade ao caleidoscópio de experiências da vida, ligadas umas às outras por parecerem acontecer a um eu particular. Acrescenta entusiasmo e comprometimento aos relacionamentos – "Eu te amo" é uma declaração que tem muito mais impacto do que "O amor se manifesta aqui".

Como relaxar o eu

A noção do eu está presente no nascimento de forma rudimentar (Stern 2000), e as crianças normalmente desenvolvem estruturas substanciais do eu aos 5 anos; do contrário, seus relacionamentos serão bastante prejudicados. Processos relacionados ao eu são conectados no cérebro por bons motivos. Eles ajudaram nossos antepassados a prosperar em bandos de caça e colheita cada vez mais sociais, nos quais as dinâmicas interpessoais tiveram grande papel na sobrevivência; perceber o eu nos outros e expressar o próprio eu com habilidade era muito útil para formar alianças, acasalar-se e manter as crianças vivas para passar seus genes adiante. A evolução dos relacionamentos promoveu a evolução do eu, e vice-versa; os benefícios dele foram, assim, um fator na evoluçāo do cérebro. O eu foi costurado no DNA humano por vantagens reprodutivas lentamente acumuladas durante centenas de milhares de gerações.

Não se trata de defendê-lo ou justificá-lo. Mas também não devemos depreciá-lo ou suprimi-lo. Não devemos tornar o eu algo especial – ele é simplesmente um padrão de manifestação mental que não é, de modo algum, diferente ou melhor do que qualquer outro objeto mental. Quando você usar os métodos a seguir, não estará resistindo ao eu ou tornando-o um problema. Estará apenas vendo através dele e incentivando-o a relaxar, a desanuviar-se. E o que fica disso? Muita franqueza, sabedoria, valores e virtudes, além de uma suave e doce alegria.

RENUNCIAR À IDENTIFICAÇÃO

Uma maneira pela qual o eu se desenvolve é equiparando-se às coisas, identificando-se com elas. Infelizmente, quando você se identifica com algo, toma o destino dele como seu – e tudo neste mundo um dia chega ao fim. Então, fique atento a como você se identifica com posições, objetos e pessoas. Uma análise tradicional é fazer perguntas do tipo: *Eu sou esta mão? Eu sou esta crença? Eu sou este eu? Eu sou esta consciência?* Você pode responder a cada pergunta explicitamente, como: *Não, eu não sou esta mão.*

O cérebro de Buda

Esteja consciente, sobretudo, quanto a identificar-se com funções executivas (monitorar, planejar, escolher). Note com que frequência o cérebro faz planos e escolhas *sem* grande envolvimento do eu, como enquanto dirigimos para o trabalho. Fique atento também quanto a identificar-se com a consciência; deixe que ela surja sem precisar se identificar com ela ou instruí-la.

Considere todas as formas de se referir ao eu como apenas mais objetos mentais – pensamentos como outros quaisquer. Lembre-se: *Eu não sou meus pensamentos. Não sou esses pensamentos do eu.* Não se identifique com o eu! Não use palavras como "eu" e "meu" mais do que o necessário. Tente passar um período determinado de tempo, como uma hora no trabalho, sem usá-las de jeito nenhum.

Deixe as experiências fluírem pela consciência sem se identificar com elas. Se essa posição fosse verbalizada, seria assim: *Ver é acontecer. Existe sensação. Pensamentos surgem. Um senso de eu se manifesta.* Mexa-se, planeje, sinta e pense com o mínimo possível de referência ao eu.

Estenda essa consciência aos filminhos que passam no simulador da mente. Note como uma presunção do eu está embutida na maioria desses filmes, mesmo quando o eu não é um personagem evidente. Isso reforça o eu enquanto os neurônios disparam e se conectam em suas simulações. Em vez disso, cultive a ideia de que os acontecimentos podem ser percebidos da perspectiva de um corpo-mente particular sem necessidade de haver um eu que os perceba.

GENEROSIDADE

O eu também se desenvolve pela possessividade. Ele é como um punho cerrado: quando abrimos a mão para dar, não há mais eu.

Há tanto a oferecer nesta vida, e isso nos proporciona muitas oportunidades de liberar o eu. Por exemplo, podemos doar tempo, auxílio, contribuições, paciência, acordo, perdão. Qualquer tipo de préstimo –

232

inclusive criar uma família, importar-se com os outros e muitos tipos de trabalho – envolve generosidade.

A inveja – e seu primo próximo, o ciúme – é um grande impedimento para a generosidade. Perceba o sofrimento presente nesse sofrimento, e veja como ele é nocivo a *você*. A inveja, na verdade, ativa algumas das redes neurais envolvidas na dor física (Takahashi *et al.* 2009). De maneira compassiva e gentil, lembre-se de que você ficará bem mesmo que outras pessoas tenham fama, dinheiro, um parceiro incrível – e você não.

Para se livrar das garras da inveja, envie compaixão e bondade para as pessoas de quem sente inveja. Certa vez, num retiro de meditação, sentia inveja de algumas pessoas e acabei encontrando uma paz surpreendente ao fazer este pedido por elas: *Que vocês tenham todo o sucesso que eu não tenho.*

Observe também percepções, pensamentos, emoções e outros objetos mentais e pergunte-se: *Isso tem um dono?* Então veja a natureza das coisas: *Não, não tem.* É inútil tentar possuir a mente; ninguém é dono dela.

HUMILDADE SAUDÁVEL

Talvez mais do que tudo, o eu prospera pela presunção, enquanto seu antídoto é a humildade saudável. Ser humilde significa ser natural e despretensioso, e *não* ser envergonhado, inferior ou capacho dos outros. Trata-se de não se colocar acima dos outros. A sensação de humildade é pacífica. Não é preciso esforçar-se para impressionar as pessoas, e ninguém estará em desacordo conosco quando formos pretensiosos e intolerantes.

Seja bom com você mesmo

Paradoxalmente, cuidar bem de si envolve humildade, pois as redes do eu no cérebro são ativadas quando nos sentimos ameaçados ou desamparados. Para reduzir essa ativação, garanta que suas necessi-

O cérebro de Buda

dades essenciais sejam atendidas de forma adequada. Por exemplo, todos nós precisamos nos sentir queridos. Empatia, elogios e o amor dos outros – sobretudo na infância – são internalizados em redes neurais que sustentam sentimentos de confiança e valor. Se não recebermos muito disso ao longo dos anos, provavelmente acabaremos com um vazio no coração.

O eu fica muito ocupado com esse vazio, tentando preenchê-lo com petulância ou fazendo um "conserto" paliativo. Além de irritar os outros – e assim conquistando menos empatia, elogios e amor do que nunca –, essas estratégias são inúteis, já que não tratam da questão fundamental.

Em vez disso, preencha seu coração absorvendo o que é bom (ver capítulo 4), um tijolo de cada vez. Quando eu era mais jovem, o vazio do meu coração era imenso. Assim que percebi que ele devia e *podia* ser preenchido, fui procurar provas do meu valor, como o amor e o respeito dos outros e minhas boas qualidades e conquistas. Então, por alguns segundos, incorporei a experiência. Depois de várias semanas e muitos tijolos, comecei a me sentir diferente; em poucos meses, havia uma sensação de crescimento pessoal muito maior. Hoje, muitos anos e milhares de tijolos depois, o vazio de meu coração está bem preenchido.

Não importa o tamanho de seu vazio, cada dia lhe dá pelo menos alguns tijolos para completá-lo. Preste atenção às coisas boas a respeito de você, e na atenção e no reconhecimento dos outros, e então absorva-os. Um único tijolo não elimina o vazio, mas, se você persistir, dia após dia, tijolo após tijolo, conseguirá preencher esse espaço.

Assim como muitas práticas, ser bom consigo é uma espécie de jangada para atravessar o rio do sofrimento – para usar uma metáfora de Buda. Chegando ao outro lado, você não precisará mais da jangada. Terá desenvolvido sua capacidade interior a ponto de não ter mais de procurar provas de seu valor.

Não se preocupe com a opinião alheia

Evoluímos de modo a dar grande importância à nossa reputação, uma vez que esta influenciava a decisão de outros membros do bando em querer ajudar ou prejudicar as chances de sobrevivência de um indivíduo (Bowles 2006). É completamente humano querer e buscar o respeito e a estima dos outros. Ficar restrito ao que os outros pensam, porém, é outra história. Nas palavras de Shantideva (1999, p. 113):

Por que devo me alegrar quando as pessoas me elogiam?
Haverá outros para desdenhar e criticar.
E por que ficar desesperado quando culpado,
Já que haverá outros para pensar bem a meu respeito?

Considere quanto tempo você passa pensando – mesmo da maneira mais sutil, atrás do simulador – sobre o que os outros acham de você. Tenha consciência do que faz para conquistar admiração e elogios. Em vez de agir assim, foque em apenas fazer o melhor possível. Pense na virtude, na benevolência e na sabedoria: se suas atitudes se basearem nisso, é praticamente tudo o que se pode fazer. E isso é muito!

Você não tem de ser especial

Acreditar que você precisa ser especial para merecer amor e apoio cria um grande obstáculo que exige muito esforço e tensão para ser transposto – dia após dia após dia. E ainda o enche de autocrítica e sentimentos de incapacidade e inutilidade quando não consegue o reconhecimento que tanto deseja. Em lugar disso, experimente desejar-se o bem assim: *Que eu seja amado sem ser especial. Que eu colabore sem ser especial.*

Considere renunciar a ser especial – e até importante e admirado. A renúncia é a antítese do apego, e, portanto, um caminho radical para a felicidade. Diga mentalmente frases como estas e perceba o que despertam em você: *Desisto de ser importante. Renuncio a buscar aprovação.* Sinta a paz nessa entrega.

Ame a *pessoa* que você é, assim como se ama alguém querido. Mas não ame o *eu* ou qualquer outro mero objeto mental.

LIGADO AO MUNDO

A sensação do eu aumenta quando nos distanciamos do mundo. Por isso, ao aprofundar sua ligação com o mundo, reduzirá a percepção do eu.

Para viver, para manter seu metabolismo, o corpo deve estar ligado ao mundo por meio de contínuas trocas de energia e substâncias. De modo semelhante, o cérebro não é fundamentalmente separado do restante do corpo, que o alimenta e o protege. Portanto, no fim das contas, o cérebro está ligado ao mundo (Thompson e Varela 2001). E, como já vimos várias vezes, a mente e o cérebro formam um sistema integrado. Assim, a mente e o mundo estão intimamente relacionados.

Você pode aprofundar essa identificação de diversas maneiras:

- Reflita sobre os caminhos percorridos pelos alimentos, pela água e pela luz do sol que mantêm o corpo. Considere-se como um animal em sua dependência do mundo natural. Dedique um tempo à natureza.
- Preste atenção ao aspecto *espacial* nos ambientes em que vive, como o espaço vazio na sala de casa ou o espaço que os carros percorrem durante o trajeto para o trabalho. Isso trará naturalmente a consciência em relação ao todo.
- Pense além. Por exemplo, ao abastecer o carro, considere a grande rede de fatores que contribuem para a construção do eu aparente, como o posto de gasolina, a economia mundial e até o plâncton e as algas soterradas em óleo. Perceba que essas causas dependem de uma rede ainda mais vasta que abrange o sistema solar, nossa galáxia, outras galáxias e os processos físicos do campo material. Sinta a verdade irrefutável de que sua origem e subsistência está ligada a todo o universo. A Via Láctea existe por causa de um grupo maior

de galáxias, o Sol existe por causa da Via Láctea, e você existe graças ao Sol – então, de certa maneira, você existe por causa de galáxias a milhões de anos-luz daqui.

- Se conseguir, pense até o último nível, que é a totalidade das coisas. Por exemplo, o mundo ao seu alcance, incluindo seu corpo e sua mente, é sempre uma coisa só. A qualquer momento, você pode perceber essa totalidade. As partes que o compõem se transformam constantemente. Cada uma delas se desenlaça, se decompõe e se dispersa. Sendo assim, nenhuma parte pode ser uma fonte confiável e permanente da verdadeira felicidade, incluindo o eu. Mas o todo como todo nunca muda. O todo nunca se apega nem sofre. A ignorância encolhe a totalidade para dentro do eu. A sabedoria reverte esse processo, esvaziando o eu para dentro do todo.

É um maravilhoso paradoxo que, à medida que o aspecto individual – como o eu – se torna cada vez mais incerto e sem fundamento, a soma de todas as coisas pareça cada vez mais segura e confortante. Conforme esse falta de fundamento se torna mais clara, aquilo que é aparentemente individual parece mais uma parede de neblina que vai cair se alguém se apoiar nela. No início, isso é bem perturbador. Mas então você percebe que o céu em si – a totalidade – é o que está o sustentando. Você está andando pelo céu *porque você é o céu*. Sempre foi assim. Você e todas as pessoas têm sido o céu todo o tempo.

LIGADO À VIDA

Certa vez, um amigo meu foi a um retiro de meditação num mosteiro em Burma, onde fez votos de não matar intencionalmente qualquer ser vivo, entre outros. Após algumas semanas, não conseguia meditar direito. Na mesma época, o "banheiro" próximo à sua barraca começou a incomodá-lo. Era uma fossa, e, após usá-la, ele tinha de limpar a área ao redor

O cérebro de Buda

do buraco com água, mas geralmente havia formigas ali, que eram levadas pela água. Ele perguntou ao abade se aquilo estava certo. "Não", respondeu o abade, "seu voto não foi esse". Meu amigo levou a sério o comentário do abade e passou a limpar o banheiro com muito mais cuidado. E, talvez não por acaso, sua meditação se aprofundou dramaticamente.

Com que frequência colocamos nossa conveniência acima da vida de outro ser, mesmo uma formiga no banheiro? Isso não é deliberadamente cruel, mas é egoísta. Olhe a criatura nos olhos – o mosquito, o rato – e reconheça que ele quer viver, assim como você. Como será a sensação de ser morto pela conveniência de alguém?

Se quiser, adote a prática de nunca matar para sua conveniência, para sentir-se mais conectado com toda a vida, como uma criatura em harmonia com outros seres. Assim estará tratando o mundo como uma extensão sua, e não se prejudicar implicará não prejudicar o mundo.

Da mesma forma, ser bom com o mundo é ser bom consigo mesmo. À medida que o eu começa a relaxar e se abandonar, é possível pensar em como viver. Uma vez, num retiro, tive uma sensação tão forte de tudo ser um todo que comecei a me desesperar com a completa irrelevância de minha ínfima parte nisso. Minha vida perdeu a importância. Após uma noite maldormida, sentei-me do lado de fora do refeitório antes do café da manhã, perto de um pequeno córrego, observando uma corça e seu filhote que pastavam sob as árvores. Comecei a sentir muito profundamente que cada ser vivo tem sua natureza e seu lugar no todo. A corça lambia e aninhava o filhote. Claramente, ela pertencia àquele lugar; mais cedo ou mais tarde morreria e desapareceria, mas nesse meio-tempo prosperava e contribuía à sua maneira. Insetos e pássaros agitavam as folhas caídas: todos se movimentavam, produzindo benefícios para o todo de alguma maneira.

Da mesma forma que cada um daqueles animais, eu também tinha meu lugar e dava minhas contribuições. Nenhum de nós era importante, mas não havia mal em eu ficar por ali, prosperar, relaxar e ser o todo – ser o todo representado como uma parte, ser uma parte representando o todo.

Como relaxar o eu

Um tempo depois, um esquilo cinza e eu nos observamos a menos de 1 metro de distância. Era natural querê-lo bem, desejar que encontrasse alimento e escapasse das corujas (e, na complexidade da floresta, também querer bem à coruja e que ela encontrasse um esquilo para matar sua fome). Ficamos nos olhando por um tempo curiosamente longo, e eu realmente desejei o melhor para aquele esquilo. Então, outra coisa ficou clara: eu também era um organismo, assim como o esquilo. Não era problema nenhum desejar o bem para mim mesmo, exatamente como a outro ser vivo.

Não há problema em querer o bem para si, da mesma forma que para os outros seres. É certo fazer o bem de acordo com a sua natureza, com um cérebro humano, indo o mais longe possível no caminho da felicidade, do amor e da sabedoria.

O que permanece quando o eu se dispersa, mesmo que temporariamente? O ato devotado de contribuir e o desejo de se desenvolver e prosperar como um animal humano entre 6 bilhões. Ser saudável e forte e viver por mais muitos anos. Ser atencioso e gentil. Despertar, permanecendo como uma consciência amorosa, radiante e vasta. Sentir-se protegido e apoiado. Ser feliz, à vontade, sereno e satisfeito. Viver e amar em paz.

capítulo 13: PONTOS-CHAVE

- É irônico que o eu o faça sofrer de diversas maneiras. Ao levar tudo para o lado pessoal, ao tentar possuir ou se identificar com o que inevitavelmente acaba ou ao se distanciar do todo, você sofre. Mas, quando relaxa o sentido do eu e flui com a vida, fica feliz e satisfeito.
- Ao levar o corpo para passear – ou fazer qualquer outra coisa – sem se ater muito à sensação do eu, descobre-se fatos interessantes: o eu costuma ser um pouco retraído e tenso, é muitas vezes

O cérebro de Buda

desnecessário, e está em constante transformação. O eu é ativado especialmente como reação a oportunidades e ameaças; desejos frequentemente criam um eu antes de o eu criar desejos.

- Pensamentos, sentimentos e imagens existem como padrões de informação baseados em padrões de estruturas e atividades neurais. Da mesma maneira, representações do eu e o sentido de ser um eu existem como padrões na mente e no cérebro. A questão não é se esses padrões existem, mas sim qual é a sua *natureza*. E de fato existe aquele para quem eles apontam – um dono das experiências e agente das ações unificado e permanente?

- Os diversos aspectos do eu são baseados em inúmeras redes neurais. Essas redes executam muitas funções não relacionadas com o eu, e as representações do eu dentro delas aparentemente não apresentam nenhuma condição neurologicamente especial.

- O eu é apenas uma parte da pessoa. Pensamentos, planos e ações, em sua maioria, não necessitam de um eu para dirigi-los. As redes neurais relacionadas ao eu compreendem somente uma pequena parte do cérebro e uma parte ainda menor do sistema nervoso.

- O eu está em constante transformação; no cérebro, toda manifestação do eu é impermanente. Assim como os quadros individuais em um filme criam a ilusão de movimento, as montagens sobrepostas que fluem juntas e então se dispersam criam a ilusão de um eu coerente e contínuo.

- O eu se manifesta e muda em função de diversas condições, particularmente de sensações agradáveis ou desagradáveis. E depende também de relacionamentos, incluindo aquele com o mundo. A base mais fundamental para o sentido do eu – a subjetividade inerente à consciência – emerge no relacionamento entre o corpo e o mundo. O eu não tem nenhum tipo de existência independente.

- A atividade mental relativa ao eu, que inclui a sensação de ser o objeto da experiência, refere-se a um eu unificado, independente, duradouro, que é essencialmente o dono das experiências e o agente das ações – só que esse eu único não existe. O

Como relaxar o eu

eu é uma coletânea de representações reais de um ser irreal – como o unicórnio.

- O eu aparente é útil para relacionamentos e para uma sensação saudável de coerência psicológica ao longo do tempo. O ser humano carrega a noção do eu porque ela desempenhou funções primordiais de sobrevivência em nossa evolução. É inútil ter aversão ao eu, uma vez que tal sentimento o intensifica. A questão é enxergar através dele e deixá-lo soltar-se e dispersar-se.

- O eu se desenvolve pela identificação, possessão, orgulho e distanciamento em relação ao mundo e à vida. Abordamos diversas maneiras de nos desprender disso tudo e, em vez disso, nos concentrar na generosidade, na boa vontade em relação à prosperidade de alguém e em relacionamentos agradáveis e pacíficos com outros seres.

APÊNDICE

Neuroquímica nutricional

Jan Hanson, médica acupunturista

Os capítulos anteriores versaram sobre como influenciar o cérebro por meio de intervenções mentais. Este apêndice ensinará resumidamente como dar suporte às funções cerebrais por intermédio de intervenção *física* e nutrição adequada. Naturalmente, nenhuma dessas sugestões substitui o tratamento profissional nem se destina a tratar qualquer problema clínico.

Como acupunturista dedicada à área de nutrição clínica por muitos anos – e que teve de aplicar algumas de suas lições a si mesma –, já observei repetidas vezes que mudanças pequenas, cuidadosas e sensatas naquilo que você ingere todos os dias podem trazer gradualmente grandes benefícios. E, às vezes, esses passos – como obter nutrientes dos quais você precisou por um longo tempo – levam a um rápido aumento do bem-estar.

PRINCÍPIOS ALIMENTARES

Ajude seu cérebro alimentando-se bem todos os dias, reduzindo o consumo de açúcar e evitando alimentos alergênicos.

Alimente-se bem diariamente

Consuma uma grande variedade de nutrientes valiosos. Mais do que tudo, isso significa comer muitas proteínas e vegetais. Coma proteína em todas as refeições, de preferência uma porção mais ou menos do tamanho da palma da mão. Coma pelo menos três xícaras de verduras e legumes por dia – se for mais do que isso, melhor ainda! O ideal é que metade de seu prato em cada refeição seja repleto de legumes e verduras de diversos tipos e cores. As frutas também são muito importantes; as vermelhas, em particular, são excelentes para o cérebro (Galli *et al.* 2006; Joseph *et al.* 2003).

Diminua o açúcar

Mantenha sua glicemia sob controle. A alta taxa de açúcar no sangue exaure o hipocampo (Wu *et al.* 2008). A intolerância à glicose – sinal de consumo excessivo de açúcar – está ligada a relativas deficiências em adultos mais velhos (Messier e Gagnon 2000). A melhor maneira de reduzir o açúcar é evitar totalmente o açúcar refinado (sobretudo em bebidas doces), bem como alimentos fabricados com farinha branca (pães, massas, biscoitos).

Evite alimentos alergênicos

Comer alimentos aos quais temos sensibilidade provoca reações alérgicas e inflamatórias em todo o corpo, e não só no sistema digestório. A inflamação crônica, mesmo que relativamente moderada, é um verdadeiro inimigo do cérebro. A sensibilidade ao glúten, por exemplo, é associada a vários distúrbios neurológicos (Hadjivassiliou, Gunwale e Davies-Jones 2002; Hadjivassiliou *et al.* 1996). Mesmo que não haja uma sensibilidade conhecida, o consumo de

Neuroquímica nutricional

leite em excesso está relacionado a um maior risco de desenvolver mal de Parkinson (Park *et al.* 2005).

Os alimentos alergênicos mais comuns são derivados de leite de vaca, glúten de cereais (trigo, aveia, centeio, cevada, espelta e Kamut®) e soja. As alergias alimentares podem ser diagnosticadas por meio de exames de sangue. Mas, se quiser, elimine por uma ou duas semanas alimentos que suspeite que não lhe façam bem e então observe se está se sentindo melhor, pensando com mais clareza, tendo boa digestão e mais energia.

SUPLEMENTOS FUNDAMENTAIS PARA O CÉREBRO

Vitaminas e minerais são cofatores em milhares de processos metabólicos. Eles são a base da saúde em todos os aspectos, incluindo as funções cerebrais e mentais (Kaplan *et al.* 2007). Portanto, é importante ingeri-los para atender a todas as suas necessidades físicas. A menos que dedique muito tempo ao preparo de alimentos frescos, é bem provável que, apenas com a alimentação, você não esteja consumindo minerais e vitaminas em quantidades ideais. Sendo assim, faz sentido suplementá-la adequadamente.

Tome um suplemento multivitamínico/ multimineral de alta potência

Um bom suplemento multivitamínico/multimineral é seu seguro de vida, pois o ajuda a obter uma grande variedade de nutrientes essenciais. Embora todos os nutrientes sejam importantes, dê atenção especial às vitaminas B, que são particularmente vitais para a saúde do cérebro. As vitaminas B_{12}, B_6 e o ácido fólico contribuem num processo bioquímico chamado *metilação*, que tem papel crucial na produção de muitos neurotransmissores. Quando há deficiência dessas vitaminas B, a taxa de homocisteína (um aminoácido) se eleva. Baixos índices de vitaminas B e alta homocisteína são fatores de risco para deterioração cognitiva e demência em idosos (Clark *et al.* 2007; Vogiatzoglou *et al.* 2008). Baixo ácido fólico também contribui para desenvolver depressão; suplementá--lo pode amenizar sintomas depressivos (A. Miller 2008).

O suplemento multivitamínico tem de conter de dez a 25 vezes a quantidade diária recomendada de todas as vitaminas B e 800 microgramas ou mais de ácido fólico (Marz 1999). Deve ter a maioria dos minerais em, no mínimo, 100 por cento da quantidade recomendada por dia. Para isso, talvez seja necessário complementar o multivitamínico com outros suplementos.

Consuma ácidos graxos ômega-3

Os ácidos graxos ômega-3 encontrados em óleos de peixe – ácidos docosahexaenoico (DHA) e eicosapentaenoico (EPA) – proporcionam muitos benefícios ao cérebro, como desenvolvimento neuronal, melhora no humor e redução da demência (Ma *et al.* 2007; Puri 2006; Singh 2005; Su *et al.* 2003). O DHA é o ácido graxo estrutural predominante no sistema nervoso central, e sua disponibilidade é crucial para o desenvolvimento do cérebro. O EPA tem importante ação anti-inflamatória.

Consuma óleos de peixe o suficiente para obter pelos menos 500 miligramas diários de DHA e mais ou menos a mesma quantidade de EPA (Hyman 2009). Escolha um de boa procedência, seja destilado molecularmente; a maioria das pessoas prefere ingeri-lo em forma de cápsulas a tomar o óleo em si.

Ou, se você for vegetariano, consuma uma colher de sopa cheia de óleo de linhaça (pode ser para temperar salada, mas não o use para cozinhar). Embora o óleo de linhaça se converta em DHA e EPA, na maior parte das pessoas essa conversão é ineficiente e incompleta. Assim, acrescente 500 microgramas de DHA de algas a seu óleo de linhaça.

Neuroquímica nutricional

Tome vitamina E em forma de gama-tocoferol

A vitamina E é o principal antioxidante nas membranas celulares do cérebro (Kidd 2005). A forma mais comum dessa vitamina obtida pela alimentação é o gama-tocoferol, que compõe 70 por cento do consumo total de vitamina E.

Infelizmente, os suplementos nutricionais geralmente contêm alfa-tocoferol, outra forma de vitamina E. O alfa-tocoferol parece ser menos benéfico que o gama-tocoferol e dilui o gama-tocoferol que você obtém naturalmente pela comida. Talvez seja por isso que os estudos de suplementação de vitamina E produzem resultados confusos. Porém, uma pesquisa constatou que pessoas mais velhas que consumiam níveis mais altos de vitamina E – fundamentalmente na forma de gama-tocoferol – apresentaram risco menor de desenvolver mal de Alzheimer e desaceleraram processos de deterioração cognitiva (Morris *et al.* 2005).

Ainda há muito que pesquisar, mas, nesse meio-tempo, é uma boa ideia tomar um suplemento de vitamina E que contenha uma mistura dos tocoferóis, com predominância do gama-tocoferol. Use um suplemento que contenha em torno de 400 UI de vitamina E (Marz 1999), de forma que pelo menos metade dessa quantidade seja de gama-tocoferol (Hyman 2009).

BASE NUTRICIONAL PARA NEUROTRANSMISSORES

Você pode influenciar os níveis de seus neurotransmissores por meio de intervenções nutricionais direcionadas. Mas tenha cautela. Comece com a menor dosagem e respeite sua natureza; as reações de cada um variam significativamente. Experimente um suplemento por vez, de modo que se sinta bem com o primeiro antes de adicionar outro.

Caso apresente efeitos colaterais, descontinue a suplementação imediatamente. Não tome esses suplementos se estiver em tratamento com antidepressivos ou outros medicamentos psicotrópicos, a menos que seu médico esteja de acordo.

Serotonina

A serotonina auxilia no humor, na digestão e no sono. É feita do aminoácido triptofano em basicamente duas etapas: o triptofano é convertido em 5-hidroxitriptofano (5-HTP), que é, então, transformado em serotonina. Para tais conversões, são necessários cofatores nutricionais, sobretudo ferro e vitamina B_6 (como piridoxal-5-fosfato ou P5P) (Murray *et al.* 2000). Dessa maneira, os nutrientes a seguir podem contribuir para a produção de serotonina; você pode combiná-los, se preferir.

FERRO

Se estiver se sentindo prostrado ou deprimido, converse com seu médico sobre a possibilidade de estar com deficiência de ferro. É necessário um exame de sangue para saber se está anêmico; se estiver, você pode tomar um suplemento de ferro, e a dosagem adequada dependerá do resultado do exame.

VITAMINA B_6

A vitamina B_6 é um cofator em dezenas – talvez centenas – de processos metabólicos importantes, entre os quais a produção de diversos neurotransmissores (como a serotonina). Tome 50 miligramas de vitamina B_6 (como P5P) em jejum, pela manhã.

5-HIDROXITRIPTOFANO E TRIPTOFANO

Tome 50-300 miligramas de 5-HTP pela manhã ou 500-1.500 miligramas de triptofano antes de dormir (Hyman 2009; Marz 1999). Se sua principal intenção for melhorar o humor, tome o 5-HTP ao acordar. É pouco provável que fique com sono, e é o caminho mais direto para a serotonina. Caso sofra de insônia, comece com triptofano logo antes de se deitar, pois ele provavelmente melhorará seu sono.

Norepinefrina e dopamina

A norepinefrina e a dopamina são neurotransmissores excitantes que melhoram a energia, o humor e a atenção. O processo de criação deles começa com o aminoácido l-fenilalanina.

Este é convertido em L-tirosina, que vira dopamina; esta, por sua vez, é transformada mais adiante em norepinefrina (Murray *et al.* 2000).

Assim como acontece com a serotonina, o ferro e a vitamina B_6 (como P5P) são cofatores necessários para essas conversões. Portanto, suplementá-los pode aumentar a norepinefrina e a dopamina. Como aumentar a serotonina antes da dopamina e da norepinefrina geralmente dá melhor resultados do que fazer o contrário, comece com nutrientes que contribuam para a liberação de serotonina. Tome-os por mais ou menos duas semanas antes de pensar em tomar fenilalanina ou tirosina.

Para algumas pessoas, suplementos de fenilalanina e tirosina são muito estimulantes. Se você se sentir nervoso ou hiperexcitado após a ingestão, pare. Por cautela, comece com uma dosagem baixa de 500 miligramas ou menos, tomada em jejum pela manhã. Se os efeitos forem bons, a dosagem pode ser aumentada para 1.500 miligramas por dia (Hyman 2009). Desses dois aminoácidos, a tirosina é a via mais direta para produzir norepinefrina e dopamina; consequentemente, é mais usada, embora algumas pessoas prefiram a L-fenilalanina. Qualquer uma das duas é indicada.

O cérebro de Buda

Acetilcolina

A acetilcolina auxilia a memória e a atenção. Para fabricar esse neurotransmissor, você precisa de fontes ricas em colina em sua alimentação, como gema de ovo (provavelmente a melhor fonte), carne bovina, fígado ou gordura de laticínios. Considere também os suplementos a seguir. Caso resolva experimentar, inicie com um suplemento por vez. Descubra qual deles (ou uma combinação dos três) é mais adequado a você.

FOSFATIDILSERINA

A fosfatidilserina (PS, do inglês) é o principal fosfolipídeo ácido do cérebro e um componente essencial das membranas celulares do cérebro. Os fosfolipídeos têm um papel importante na comunicação entre as células cerebrais. A PS sustenta a acetilcolina (Pedata *et al.* 1985) e aparentemente auxilia a memória. Você pode tomar 100-300 miligramas ao dia (Hyman 2009).

ACETIL-L-CARNITINA

A acetil-L-carnitina parece ser útil no tratamento de problemas de memória e do mal de Alzheimer, talvez em virtude de seus efeitos sobre os processos químicos da acetilcolina (Spagnoli *et al.* 1991). Faça um teste com 500-1.000 miligramas ao dia, em jejum, pela manhã (Hyman 2009). Se for sensível a nutrientes estimulantes, talvez prefira experimentar este por último.

HUPERZINE-A

Extraída do licopódio chinês, a huperzine-A desacelera a quebra metabólica da acetilcolina e, por isso, acredita-se que melhore a me-

Neuroquímica nutricional

mória e a atenção (Cheng, Ren e Xi 1996; Sun *et al.* 1999). Experimente tomar 50-200 microgramas por dia (Hyman 2009).

COMECE DE BAIXO PARA CIMA

O cérebro é composto de trilhões de moléculas, muitas das quais vieram dos alimentos que você ingeriu em uma ou outra ocasião. Fazendo pequenas mudanças na alimentação e suplementação, é possível mudar gradualmente os componentes do cérebro, desde o nível molecular. À medida que o substrato físico do cérebro melhora, a tendência é sentir um bem-estar físico e mental cada vez maior, e as práticas psicológicas e espirituais – incluindo os métodos descritos neste livro – se tornarão ainda mais proveitosas.

REFERÊNCIAS BIBLIOGRÁFICAS

Allman J, Hakeem A, Erwin J, Nimchinsy E, Hop P. The anterior cingulate cortex: The evolution of an interface between emotion and cognition. *Annals of the New York Academy of Sciences.* 2001;935:107-117.

Amaro. *Small boat, great mountain: theravadan reflections on the natural great perfection.* Redwood Valley, Califórnia: Mosteiro Budista Abhayagiri; 2003.

Aron A, Fisher H, Mashek D, Strong G, Li H, Brown L. Reward, motivation, and emotion systems associated with early-stage intense romantic love. *Journal of Neurophysiology.* 2005;94:327-337.

Aspinwall LG, Taylor SE. A stitch in time: Self-regulation and proactive coping. *Psychological Bulletin.* 1997;121:417-436.

Atmanspacher H, Graben P. Contextual emergence of mental states from neurodynamics. *Chaos and Complexity Letters.* 2007;2:151-168.

Baars BJ. In the theatre of consciousness: Global workspace theory, a rigorous scientific theory of consciousness. *Journal of Consciousness Studies.* 1997;4:292.

Balter M. Brain evolution studies go micro. *Science.* 2007;315:1208-1211.

Bard KA. Are humans the only primates that cry? *Scientific American Mind.* 2006;17:83.

Bateson M, Nettle D, Robert G. Cues of being watched enhance cooperation in a real-world setting. *Biology Letters.* 2006;2:412-414.

Baumeister R, Bratlavsky E, Finkenauer C, Vohs K. Bad is stronger than good. *Review of General Psychology.* 2001;5:323-370.

Begley S. *Treine a mente, mude o cérebro.* Rio de Janeiro: Objetiva; 2008.

Benson H. *A resposta do relaxamento: para se livrar do estresse e da hipertensão.* Rio de Janeiro: Nova Era; 1995.

Bowles S. Group competition, reproductive leveling, and the evolution of human altruism. *Science.* 2006;314:1569-1572.

———. Did warfare among ancestral hunter-gatherers affect the evolution of human social behaviors? *Science.* 2009;324:1293-1298.

Brahm A. *Mindfulness, bliss, and beyond: a meditator's handbook.* Boston: Wisdom Publications; 2006.

Braver T, Cohen J. On the control of control: The role of dopamine in regulating prefrontal function and working memory. Em: S. Monsel e J. Driver, editores. *Control of cognitive processes: attention and performance XVIII.* Cambridge, Massachusetts: MIT Press; 2000.

Braver T, Barch D, Cohen J. The role of prefrontal cortex in normal and disordered cognitive control: A cognitive neuroscience perspective. Em: D. T. Stuss e R. T. Knight, editores. *Principles of frontal lobe function.* Nova York: Oxford University Press; 2002.

Brehony KA. *After the darkest hour: how suffering begins the journey to wisdom.* Nova York: Macmillan; 2001.

Brickman P, Coates D, Janoff-Bulman R. Lottery winners or accident victims: Is happiness relative? *Journal of Personality and Social Psychology.* 1978;36:917-927.

Buschman T, Miller E. Top-down versus bottom-up control of attention in the prefrontal and posterior parietal cortices. *Science.* 2007;315:1860-1862.

Carter O, Presti DE, Callistemon C, Ungerer Y, Liu GB, Pettigrew JD. Meditation alters perceptual rivalry in Tebetan Buddhist monks. *Current Biology.* 2005;15:412-413.

Referências bibliográficas

Cheney DL, Seyfarth RM. *Baboon metaphysics: the evolution of a social mind.* Chicago: University of Chicago Press; 2008.

Cheng DH, Ren HT, Xi C. Huperzine A, a novel promising acetylcholinesterase inhibitor. *NeuroReport.* 1996;8:97–101.

Choi J, Bowles S. The coevolution of parochial altruism and war. *Science.* 2007;318:636–640.

Clarke R, Birks J, Nexo E, Ueland PM, Schneede J, Scott J, Molloy A, Evans JG. Low vitamin B_{12} status and risk of cognitive decline in older adults. *American Journal of Clinical Nutrition.* 2007;86:1384–1391.

Cohen J, Aston-Jones G, Gilzenrat M. A systems-level perspective on attention and cognitive control. Em: M. Posner, editor. *Cognitive Neuroscience of Attention.* Nova York: Guilford Press; 2005.

Coward F. Standing on the shoulders of giants. *Science.* 2008;319:1493–1495.

Cunningham W, Zelazo PD. Attitudes and evaluations: A social cognitive neuroscience perspective. *Trends in Cognitive Sciences.* 2007;11:97–104.

Damásio A. *O mistério da consciência: do corpo e das emoções ao conhecimento em si.* São Paulo: Companhia das Letras; 2005.

Davidson RJ. Well-being and affective style: Neural substrates and biobehavioural correlates. *Philosophical Transactions of the Royal Society.* 2004;359:1395–1411.

Davidson RJ, Kabat-Zinn J, Schumacher J, Rosenkranz M, Muller D, Santorelli SF, Urbanowski F, Harrington A, Bonus K, Sheridan JF. Alterations in brain and immune function produced by mindfulness meditation. *Psychosomatic Medicine.* 2003;65:564–570.

de Quervain D, Fischbacher U, Treyer V, Schellhammer M, Schnyder U, Buck A, Fehr E. The neural basis of altruistic punishment. *Science.* 2004;305:1254–1258.

de Waal F. *Primates and philosophers: how morality evolved.* Princeton, Nova Jersey: Princeton University Press; 2006.

Dehaene S, Sergent C, Changeux J. A neuronal network model linking subjective reports and objective physiological data during conscious perception. *Proceedings of the National Academy of Sciences.* 2003;100:8520-8525.

Dobzhansky T. Nothing in biology makes sense except in the light of evolution. *American Biology Teacher.* 1973;35:125-129.

Dunbar RIM, Shultz S. Evolution in the social brain. *Science.* 2007;317:1344-1347.

Dunn EW, Aknin LB, Norton M. Spending money on others promotes happiness. *Science.* 2008;319:1687-1688.

Dusek JA, Out HH, Wohlhueter AL, Bhasin M, Zerbini LF, Joseph MG, Benson H e Libermann TA. Genomic counter-stress changes induced by the relaxation response. *PLoS ONE.* 2008;3:e2576.

Efferson C, Lalive R, Feh E. The coevolution of cultural groups and ingroup favoritism. *Science.* 2008;321:1844-1849.

Eisenberger NI, Lieberman MD. Why rejection hurts: A common neural alarm system for physical and social pain. *Trends in Cognitive Science.* 2004;8:294-300.

Ekman P. *A linguagem das emoções: revolucione sua comunicação e seus relacionamentos reconhecendo todas as expressões das pessoas ao redor.* São Paulo: Leya Brasil; 2011.

Engel AK, Fries P, Singer W. Dynamic predictions: Oscillations and synchrony in top-down processing. *Nature Reviews Neuroscience.* 2001;2:704-716.

Farb NAS, Segal ZV, Mayberg H, Bean J, McKeon D, Fatima Z, Anderson A. Attending to the present: Mindfulness meditation reveals distinct neural modes of self-reference. *Social Cognitive and Affective Neuroscience.* 2:313-322.

Fisher HE, Aron A, Brown L. Romantic love: A mammalian brain system for mate choice. *Philosophical Transactions of the Royal Society.* 2006;361:2173-2186.

Fiske ST. What we know about bias and intergroup conflict, the problem of the century. *Current Directions in Psychological Science.* 2002;11:123-128.

Referências bibliográficas

Frederickson BL. Cultivating positive emotions to optimize health and well-being. *Prevention and Treatment*. Vol. 3: Artigo 0001a, postado on-line em 7 de março de 2000.

————.The role of positive emotions in positive psychology. *American Psychologist*. 2001;56:218-226.

Frederickson BL, Levenson R. Positive emotions speed recovery from the cardiovascular sequelae of negative emotions. *Psychology Press*. 1998;12:191-220.

Frederickson BL, Mancuso R, Branigan C, Tugade M. The undoing effect of positive emotions. *Motivation and Emotion*. 2000;24:237-258.

Fronsdal G. *O Dhammapada: paz interior e meditação no maior clássico das escrituras budistas*. São Paulo: Pensamento; 2010.

Galdi S, Arcuri L, Gawronski B. Automatic mental associations predict future choices of undecided decision makers. *Science*. 2008;321:1100-1102.

Gallagher S. Philosophical conceptions of the self: Implications for cognitive science. *Trends in Cognitive Sciences*. 2000;4:14-21.

Gallagher H, Frith C. Functional imaging of "theory of mind". *Trends in Cognitive Sciences*. 2003;7:77-83.

Galli RL, Bielinski DF, Szprengiel A, Shukitt-Hale B, Joseph JA. Blueberry supplemented diet reverses age-related decline in hippocampal HSP70 neuroprotection. *Neurobiology of Aging*. 2006;27:344-350.

Gaskin, S. *Monday night class*. Summertown, Tennessee: Book Publishing Company; 2005.

Gibbons A. The birth of childhood. *Science*. 2008;322:1040-1043.

Gillihan S, Farah M. Is self special? A critical review of evidence from experimental psychology and cognitive neuroscience. *Psychological Bulletin*. 2005;131:76-97.

Gottman J. *Casamentos: por que alguns dão certo e outros não*. Rio de Janeiro: Objetiva; 1998.

Gould E, Tanapat P, Hastings NB, Shors T. Neurogenesis in adulthood: A possible role in learning. *Trends in Cognitive Sciences*. 1999;3:186-192.

O cérebro de Buda

Gross JJ, John OP. Individual differences in two emotion regulation processes: Implications for affect, relationships, and well-being. *Journal of Personality and Social Psychology*. 2003;85:348-362.

Guastella AJ, Mitchell PUB, Dads MR. Oxytocin increases gaze to the eye region of human faces. *Biological Psychiatry*. 2008;305:3-5.

Gusnard DA, Abuja E, Schulman GI, Raichle ME. Medial prefrontal cortex and self-referential mental activity: Relation to a default mode of brain function. *Proceedings of the National Academy of Sciences*. 2001;98:4259-4264.

Hadjivassiliou M, Gibson A, Davies-Jones GAB, Lobo AJ, Stephenson TJ, Milford-Ward A. Does cryptic gluten sensitivity play a part in neurological illness? *Lancet*. 1996;347:369-371.

Hadjivassiliou M, Gunwale RA, Davies-Jones GAB. Gluten sensitivity as a neurological illness. *Journal of Neurology, Neurosurgery and Psychiatry*. 2002;72:560-563.

Haidt J.The new synthesis in moral psychology. *Science*. 2007;316:998-1002.

Han S, Northoff G. Culture-sensitive neural substrates of human cognition: A transcultural neuroimaging approach. *Nature Reviews Neuroscience*. 2008;9:646-654.

Hanson R, Hanson J, Pollycove R. *Mother nurture: a mother's guide to health in body, mind, and intimate relationships*. Nova York: Penguin; 2002.

Harbaugh WT, Mayr U, Burghart DR. Neural responses to taxation and voluntary giving reveal motives for charitable donations. *Science*. 2007;316:1622-1625.

Hariri AR, Bookheimer SY, Mazziotta JC. Modulating emotional responses: Effects of a neocortical network on the limbic system. *NeuroReport*. 2000;11:43-48.

Hebb DO. *The organization of behavior*. Nova York: Wiley; 1949.

Herrmann E, Call J, Hernández-Lloreda H, Hare B, Tomasello M. Humans have evolved specialized skills of social cognition: The cultural intelligence hypothesis. *Science*. 2007;317:1358-1366.

Referências bibliográficas

Hölzel BK, Ott U, Gard T, Hempel H, Weygandt M, Morgen K, Vaitl D. Investigation of mindfulness meditation practitioners with voxel-based morphometry. *Social Cognitive and Affective Neuroscience.* 2008;3:55-61.

Hyman M. *The ultramind solution.* Nova York: Scribner; 2009.

Jankowiak W, Fischer E. Romantic love: A cross-cultural perspective. *Ethnology.* 1992;31:149-155.

Jha AP, Krompinger J, Baime MJ. Mindfulness training modifies subsystems of attention. *Cognitive, Affective, Behavioral Neuroscience.* 2007;7:109-119.

Jiang Y, He S. Cortical responses to invisible faces: Dissociating subsystems for facial-information processing. *Current Biology.* 2006;16:2023-2029.

Joseph JA, Denisova NA, Arendash G, Gordon M, Diamond D, Shukitt-Hale B, Morgan D. Blueberry supplementation enhances signaling and prevents behavioral deficits in an Alzheimer disease model. *Nutritional Neuroscience.* 2003;6(3):153-162.

Judson O. The selfless gene. *Atlantic,* outubro de 2007;90-97.

Kaplan BJ, Crawford SG, Field CJ, Simpson JSA. Vitamins, minerals, and mood. *Psychological Bulletin.* 2007;133:747-760.

Keeley LH. *A Guerra antes da civilização: o mito do bom selvagem.* São Paulo: É Realizações; 2012.

Kidd P. Neurodegeneration from mitochondrial insufficiency: Nutrients, stem cells, growth factors, and prospects for brain rebuilding using integrative management. *Alternative Medicine Review.* 2005;10:268-293.

Knoch D, Pascual-Leone A, Meyer K, Treyer V, Fehr E. Diminishing reciprocal fairness by disrupting the right prefrontal cortex. *Science.* 2006; 314:829-832.

Koch C, Tsuchiya N. Attention and consciousness: Two distinct brain processes. *Trends in Cognitive Sciences.* 2006;11:16-22.

Kocsis B, Vertes RP. Characterization of neurons of the supramammillary nucleus and mammillary body that discharge rhythmically with the hippocampal theta rhythm in the rat. *Journal of Neuroscience.* 1994;14:7040-7052.

Kornfield J. *Ensinamentos do Buda*. Rio de Janeiro: Rocco; 2002.

Kosfeld M, Heinrichs M, Zak P, Fischbacher U, Fehr E. Oxytocin increases trust in humans. *Nature*. 2005;435:673-676.

Kristal-Boneh E, M Raifel, Froom P, Ribak J. Heart rate variability in health and disease. *Scandinavian Journal of Work, Environment, and Health*. 1995;21:85-95.

Lammert E. Brain wnts for blood vessels. *Science*. 2008;322:1195-1196.

Lazar S, Kerr C, Wasserman R, Gray J, Greve D, Treadway M, McGarvey M, Quinn B, Dusek J, Benson H, Rauch S, Moore C, Fischl B. Meditation experience is associated with increased cortical thickness. *NeuroReport*. 2005;16:1893-1897.

Leary MR, Adams CE, Tate EB. Hypo-egoic selfregulation: Exercising self-control by diminishing the influence of the self. *Journal of Personality*. 2006;74:180-183.

Leary MR, Buttermore NR. The evolution of the human self: Tracing the natural history of self-awareness. *Journal for the Theory of Social Behaviour*. 2003;33:365-404.

Leary M, Tate E, Adams C, Allen A, Hancock J. Selfcompassion and reactions to unpleasant self-relevant events: The implications of treating oneself kindly. *Journal of Personality*. 2007;92:887-904.

LeDoux JE. Emotion: Clues from the brain. *Annual Review of Psychology*. 1995;46:209-235.

————. *Synaptic self: how our brains become who we are*. Nova York: Penguin; 2003.

Legrand D, Ruby P. What is self-specific? Theoretical investigation and critical review of neuroimaging results. *Psychological Review*. 2009;116: 252-282.

Lewis MD. Self-organizing individual differences in brain development. *Developmental Review*. 2005;25:252-277.

Lewis MD, Todd RM. The self-regulating brain: Cortical-subcortical feedback and the development of intelligent action. *Cognitive Development*. 2007;22:406-430.

Referências bibliográficas

Libet B. Do we have free will? *Journal of Consciousness Studies*. 1999;6:47-57.

Licinio J, Gold PW, Wong ML. A molecular mechanism for stress-induced alterations in susceptibility to disease. *Lancet*. 1995;346:104-106.

Lieberman M, Eisenberg N, Crocket M, Tom S, Pfeifer J, Way B. Putting feelings into words. *Psychological Science*. 2007;18:421-428.

Lilly J. *The deep self: consciousness exploration in the isolation tank*. Nevada City, Califórnia: Gateways Books and Tapes; 2006.

Linden, DJ. *The accidental mind: how brain evolution has given us love, memory, dreams, and God*. Cambridge, Massachusetts: The Belknap Press of Harvard University Press; 2007.

Luders E, Toga AW, Lepore N, Gaser C. The underlying anatomical correlates of long-term meditation: larger hippocampal and frontal volumes of gray matter. *Neuroimage*. 2009;45:672-678.

Luskin F, Reitz M, Newell K, Quinn TG, Haskell W. A controlled pilot study of stress management training of elderly patients with congestive heart failure. *Preventive Cardiology*. 2002;5:168-174.

Lutz A, Brefczynski-Lewis J, Johnstone T, Davidson R. Regulation of the neural circuitry of emotion by compassion meditation: Effects of meditative expertise. *PLoS ONE*. 2008;3(3):e1897.

Lutz A, Greischar L, Rawlings N, Ricard M, Davidson R. Long-term meditators self-induce high-amplitude gamma synchrony during mental practice. *Proceedings of the National Academy of Sciences*. 2004;101:16369-16373.

Lutz A, Lachaux J, Martinerie J, Varela F. Guiding the study of brain dynamics by first-person data: Synchrony patterns correlate with ongoing conscious states during a simple visual task. *Proceedings of the National Academy of Sciences*. 2002;99:1586-1591.

Lutz A, Slager HA, Dunne JD, Davidson RJ. Attention regulation and monitoring in meditation. *Trends in Cognitive Sciences*. 2008;12:163-169.

Ma QL, Teter B, Ubeda OJ, Morihara T, Dhoot D, Nyby MD, Tuck ML, Frautschy SA, Cole GM. Omega-3 fatty acid docosahexaenoic acid increases SorLA/LR11, a sorting protein with reduced expression in sporadic Alzheimer's disease (AD): Relevance to AD prevention. *The Journal of Neuroscience*. 2007;27:14299-14307.

Mackenzie M. Enacting the self: Buddhist and Enactivist approaches to the emergence of the self. *Phenomenology and the Cognitive Sciences* (in press); 2009.

MacLean PD. *The triune brain in evolution: role in paleocerebral functions*. Nova York: Springer; 1990.

Maguire E, Gadian D, Johnsrude I, Good C, Ashburner J, Frackowiak R, Frith C. Navigation-related structural change in the hippocampi of taxi drivers. *Proceedings of the National Academy of Sciences*. 2000;97:4398-4403.

Main M, Hesse E, Kaplan N. Predictability of attachment behavior and representational processes at 1, 6, and 19 years of age: The Berkeley Longitudinal Study. Em: Grossmann KE, Grossmann K, Waters E, editores. *Attachment from infancy to adulthood: the major longitudinal studies*. Nova York: Guilford Press; 2005.

Maletic V, Robinson M, Oakes T, Iyengar S, Ball SG, Russell J. Neurobiology of depression: an integrated view of key findings. *International Journal of Clinical Practice*. 2007;61:2030-2040.

Marz RB. *Medical nutrition from Marz*, 2ª ed. Portland, Oregon: Omni Press; 1999.

McClure SM, Laibson DI, Loewenstein G, Cohen JD. Separate neural systems value immediate and delayed monetary rewards. *Science*. 2004;306:503-507.

McCraty R, Atkinson M, Thomasino D. Impact of a workplace stress reduction program on blood pressure and emotional health in hypertensive employees. *Journal of Alternative and Complementary Medicine*. 2003;9:355-369.

Messier C, Gagnon M. Glucose regulation and brain aging: Nutrition and cognitive decline. *The Journal of Nutrition, Health, and Aging*. 2000;4:208-213.

Meyer JS, Quenzer LF. *Psychopharmacology: drugs, the brain, and behavior*. Sunderland, Massachusetts: Sinauer Associates; 2004.

Referências bibliográficas

Miller A. The methylation, neurotransmitter, and antioxidant connections between folate and depression. *Alternative Medicine Review.* 2008;13(3):216-226.

Moll J, Krueger F, Zahn R, Pardini M, Oliveira-Souza R, Grafman J. Human fronto-mesolimbic networks guide decisions about charitable donation. *Proceedings of the National Academy of Sciences.* 2006;103:15623-15628.

Monfils M-H, Cowansage KK, Klann E, LeDoux J. Extinction-reconsolidation boundaries: Key to persistent attenuation of fear memories. *Science.* 2002;324:951-955.

Morris, MC, Evans DA, Tangney CC, Bienias JL, Wilson RS, Aggarwal NT, Scherr PA. Relation of the tocopherol forms to incident Alzheimer disease and to cognitive change. *American Journal of Clinical Nutrition.* 2005;81:508-514.

Murray RK, Granner DK, Mayes PA, Rodwell VW. *Harper's Biochemistry*, 25ª ed. Nova York: McGraw-Hill; 2000.

Nanamoli B, Bodhi B. *The middle length discourses of the Buddha: a translation of the Majjhima Nikaya (Teachings of the Buddha).* Boston: Wisdom Publications; 1995.

Niedenthal P. Embodying emotion. *Science.* 2007;316:1002.

Nimchinsky E, Gilissen E, Allman J, Perl D, Erwin J, Hof P. A neuronal morphologic type unique to humans and great apes. *Proceedings of the National Academy of Science.* 1999;96:5268-5273.

Norenzayan A, Shariff AF. The origin and evolution of religious prosociality. *Science.* 2008;322:58-62.

Nowak M. Five rules for the evolution of cooperation. *Science.* 2006;314:1560-1563.

Oberman LM, Ramachandran VS. The simulating social mind: The role of the mirror neuron system and simulation in the social and communicative deficits of autism spectrum disorders. *Psychology Bulletin.* 2007;133:310-327.

O'Reilly R. Biologically based computational models of highlevel cognition. *Science.* 2006;314:91-94.

O cérebro de Buda

Pare D, Collins DR, Pelletier JG. Amygdala oscillations and the consolidation of emotional memories. *Trends in Cognitive Sciences.* 2002;6:306-314.

Park M, Ross GW, Petrovitch H, White LR, Masaki KH, Nelson JS, Tanner CM, Curb JD, Blanchette PL, Abbott RD. Consumption of milk and calcium in midlife and the future risk of Parkinson disease. *Neurology.* 2005;64:1047-1051.

Paus T. Primate anterior cingulate cortex: Where motor control, drive, and cognition interface. *Nature Reviews Neuroscience.* 2001;2:417-424.

Pedata F, Giovannelli L, Spignoli G, Giovannini MG, Pepeu G. Phosphatidylserine increases acetylcholine release from cortical slices in aged rats. *Neurobiology of Aging.* 1985;6:337-339.

Peeters G, Czapinski J. Positive-negative asymmetry in evaluations: The distinction between affective and informational negativity effects. Em: W. Stroebe e M. Hewstone, editores. *European Review of Social Psychology: Volume 1.* Nova York: Wiley; 1990.

Petrovic P, Kalisch R, Singer T, Dolan RJ. Oxytocin attenuates affective evaluations of conditioned faces and amygdala activity. *Journal of Neuroscience.* 2008;28:6607-6615.

Pitcher D, Garrido L, Walsh V, Duchaine BC. Transcranial magnetic stimulation disrupts the perception and embodiment of facial expressions. *The Journal of Neuroscience.* 2008;28:8929-8933.

Posner MI, Rothbart MK. Developing mechanisms of self-regulation. *Development and Psychopathology.* 2000;12:427-441.

Puri BK. High-resolution magnetic resonance imaging sincinterpolation-based subvoxel registration and semi-automated quantitative lateral ventricular morphology employing threshold computation and binary image creation in the study of fatty acid interventions in schizophrenia, depression, chronic fatigue syndrome, and Huntington's disease. *International Review of Psychiatry.* 2006;18:149-154.

Quirk GJ, Repa JC, LeDoux JE. Fear conditioning enhances short-latency auditory responses of lateral amygdale neurons: Parallel recordings in the freely behaving rat. *Neuron.* 1995;15:1029-1039.

Referências bibliográficas

Rabinovich M, Huerta R, Laurent G. Transient dynamics for neural processing. *Science.* 2008;321:48-50.

Raichle M. The brain's dark energy. *Science.* 2006;314:1249-1250.

Raichle M, Gusnard D. Appraising the brain's energy budget. *Proceedings of the National Academy of Sciences.* 2002;99:10237-10239.

Raichle, ME, MacLeod AM, Snyder AZ, Powers WJ, Gusnard DA, Shumlan GL. A default mode of brain function. *Proceedings of the National Academy of Sciences.* 2001;98:676-682.

Rasia-Filho A, Londero R, Achaval M. Functional activities of the amygdala: An overview. *Journal of Psychiatry and Neuroscience.* 2000;25:14-23.

Rilling J, Gutman D, Zeh T, Pagnoni G, Berns G, Kilts C. A neural basis for social cooperation. *Neuron.* 2002;35:395-405.

Robinson P. How to fill a synapse. *Science.* 2007;316:551-553.

Rosenberg M. 2006. *Comunicação não violenta: técnicas para aprimorar relacionamentos pessoais.* São Paulo: Ágora; 2006.

Sapolsky RM. *Por que as zebras não têm úlceras?: o mais conceituado guia sobre como lidar com o stress e os males e doenças associados a ele.* São Paulo: Francis; 2008.

————. A natural history of peace. *Foreign Affairs.* 2006;85:104-121.

Schechner S. Keeping love alive. *Wall Street Journal.* 8 de fevereiro de 2008;W1.

Schore A. *Affect regulation and the repair of the self.* Nova York: W. W. Norton; 2003.

Seligman M. *Aprenda a ser otimista.* Rio de Janeiro: Nova Era; 2005.

Semaw S, Renne S, Harris JWK, Feibel CS, Bernor RL, Fesseha N, Mowbray K. 2.5-million-year-old stone tools from Gona, Ethiopia. *Nature.* 1997;385:333-336.

Shantideva. *The way of the Bodhisattva: a translation of the Bodhicharyavatara.* Boston: Shambhala; 1997.

Shutt K, MacLarnon A, Heistermann M, Semple S. Grooming in Barbary macaques: Better to give than to receive? *Biology Letters.* 2007;3:231-233.

Siegel DJ. *The developing mind.* Nova York: Guilford Press; 2001.

————. *The mindful brain: reflection and attunement in the cultivation of well-being.* Nova York: W. W. Norton and Co.; 2007.

Silk JB. Social components of fitness in primate groups. *Science.* 2007;317:1347-1351.

Simpson SW, Quade J, Levin NE, Butler R, Dupont-Nivet G, Everett M, Semaw S. A female *Homo erectus* pelvis from Gona, Ethiopia. *Science.* 2008;322:1089-1092.

Singer T. The neuronal basis and ontogeny of empathy and mind reading. *Neuroscience and Biobehavioral Reviews.* 2006;30:855-863.

Singer T, Seymour B, O'Doherty J, Kaube H, Dolan RJ, Frith CD. Empathy for pain involves the affective but not sensory components of pain. *Science.* 2004;303:1157-1162.

Singer T, Seymour B, O'Doherty J, Stephan K, Dolan R, Frith C. Empathic neural responses are modulated by the perceived fairness of others. *Nature.* 2006;439:466-469.

Singh M. Essential fatty acids, DHA, and human brain. *Indian Journal of Pediatrics.* 2005;72:239-242.

Spagnoli A, Lucca U, Menasce G, Bandera L, Cizza G, Forloni G, Tettamanti M, Frattura L, Tiraboschi P, Comelli M, Senin U, Longo A, Petrini A, Brambilla G, A Belloni, Negri C, Cavazzuti F, Salsi A, Calogero P, Parma E, Stramba-Badiale M, Vitali S, Andreoni G, Inzoli MR, Santus G, Caregnato R, Peruzza M, Favaretto M, Bozeglav C, Alberoni M, de Leo D, Serraiotto L, Baiocchi A, Scoccia S, Culotta P, Ieracitano D. Long-term acetyl-L-carnitine treatment in Alzheimer's disease. *Neurology.* 1991;41:1726.

Spear LP. The adolescent brain and age-related behavioral manifestations. *Neuroscience Biobehavior Review.* 2000;24:417-463.

Stern D. *O mundo interpessoal do bebê: uma visão a partir da psicanálise e da psicologia do desenvolvimento.* São Paulo: Artmed; 1992.

Su K, Huang S, Chiub C, Shenc W. Omega-3 fatty acids in major depressive disorder: A preliminary double-blind, placebo-controlled trial. *European Neuropsychopharmacology.* 2003;13:267-271.

Referências bibliográficas

Sumedho A. Trust in awareness. Palestra apresentada no Mosteiro Chithurst, em Chithurst, Reino Unido; 25 de fevereiro de 2006.

Sun QQ, Xu SS, Pan JL, Guo HM, Cao WQ. Huperzine-A capsules enhance memory and learning performance in 34 pairs of matched adolescent students. *Zhongguo yao li xue bao* [*Acta Pharmacologica Sinica*]. 1999;20:601-603.

Takahashi H, Kato M, Matsuura M, Mobbs D, Suhara T, Okubo Y. When your gain is my pain and your pain is my gain: Neural correlates of envy and schadenfreude. *Science.* 2009;323:937-939.

Tanaka J, Horiike Y, Matsuzáki M, Miyazka T, Ellis-David G, Kasai H. Protein synthesis and neurotrophin-dependent structural plasticity of single dendritic spines. *Science.* 2008;319:1683-1687.

Tang Y, Ma Y, Wang J, Fan Y, Feg S, Lu Q, Yu Q, Sui D, Rothbart M, Fan M, Posner M. Short-term meditation training improves attention and self-regulation. *Proceedings of the National Academy of Sciences.* 2007;104:17152-17156.

Taylor SE, Klein LC, Lewis BP, Gruenewald TL, Gurung RAR, Updegraff JA. Biobehavioral responses to stress in females: Tend-and-befriend, not fight-or-flight. *Psychological Review.* 2000;107:411-429.

Thera N. The four sublime states: Contemplations on love, compassion, sympathetic joy, and equanimity. 1993. Extraído de: http://www.accesstoinsight.org/lib/authors/nyanaponika/wheel006.html em 3 de abril de 2009.

Thompson E. *Mind in life: biology, phenomenology, and the sciences of mind.* Cambridge, Massachusetts: Harvard University Press; 2007.

Thompson E, Varela FJ. Radical embodiment: Neural dynamics and consciousness. *Trends in Cognitive Sciences.* 2001;5:418-425.

Tucker DM, Derryberry D, Luu P. Anatomy and physiology of human emotion: Vertical integration of brain stem, limbic, and cortical systems. Em: J. Borod, editor. *Handbook of the neuropsychology of emotion.* Londres: Oxford University Press; 2000.

O cérebro de Buda

Vaish A, Grossmann T, Woodward A. Not all emotions are created equal: The negativity bias in social-emotional development. *Psychological Bulletin*. 2008;134:383-403.

Vaitl D, Gruzelier J, Jamieson G, Lehmann D, Ott U, Sammer G, Strehl U, Birbaumer N, Kotchoubey B, Kubler A, Miltner W, Putz P, Strauch I, Wackermann J, Weiss T. Psychobiology of altered states of consciousness. *Psychological Bulletin*. 2005;133:149-182.

Vogiatzoglou A, Refsum H, Johnston C, Smith SM, Bradley KM, de Jager C, Budge MM, Smith AD. Vitamin B12 status and rate of brain volume loss in community-dwelling elderly. *Neurology*. 2008;71:826-832.

Walsh R, Shapiro SL. The meeting of meditative disciplines and Western psychology: A mutually enriching dialogue. *American Psychologist*. 2006;61:227-239.

Wilson EO. *Consiliência: a unidade do conhecimento*. Rio de Janeiro: Campus; 1999.

Wolf JL. Bowel function. Em: Carlson KJ e Eisenstat SA, editores. *Primary care of women*. St. Louis, Missouri: Mosby-Year Book, Inc.; 1995.

Wu W, Brickman AM, Luchsinger J, Ferrazzano P, Pichiule P, Yoshita M, Brown T, DeCarli C, Barnes CA, Mayeux R, Vannucci S, Small SA. The brain in the age of old: The hippocampal formation is targeted differentially by diseases of late life. *Annals of Neurology*. 2008;64:698-706.

Yamasaki H, LaBar K, McCarthy G. Dissociable prefrontal brain systems for attention and emotion. *Proceedings of the National Academy of Sciences*. 2002;99:11447-11451.

Yang E, Zald D, Blake R. Fearful expressions gain preferential access to awareness during continuous flash suppression. *Emotion*. 2007;7:882-886.

Referências bibliográficas

Young L, Wang Z. The neurobiology of pair bonding. *Nature Neuroscience*. 2004;7:1048-1054.

Zelazo PD, Gao HH, Todd R. The development of consciousness. Em: Zelazo PD, Moscovitch M e Thompson E, editores. *The Cambridge handbook of consciousness*. Nova York: Cambridge University Press; 2003.